JN048590

マンション・ペット、
貯金・遺品、葬儀・お墓
私が死んだらどーなるの？

おひとりさまの後始末

なとみ みわ 漫画

小学館

はじめに

どーもこんにちは！
イラストレーターなとみみわですWEBや雑誌・書籍などにイラストや漫画を描いてます！
ずっと家族のために走り続けた人生でしたが50歳手前で
育児
介護
仕事
家事
姑
ダンナ
息子
ドドドドド
姑を看取り…
ばあさ〜ん!!
続いてひとり息子の独立、
海賊王にオレはなる!!
ダンナとの離婚。
みんなー達者でねー
突然のひとりぼっちで最初はさびしくて心が折れそうにもなったけど…
コドクと自由は表裏一体
コドクに乾杯!!
コドクちゃん
現在は
愛犬りくと
はぁ〜〜…
イッツ・フリーダム♡
ぱたぱたぱた…
自由気ままなふたり(?)暮らし。

あのね りくちゃん
終活関連業界じゃどうも私みたいな人もふくめて単身世帯の事を「おひとりさま」って言うらしいよ〜
パタパタ
パタ
ついにお母さんも立派な「おひとりさま」だね
…でもね、
…
ぎゅっ…
…
ちょっと心配な事があるのよ
聞いてくれる？
それはまさしく己の「老い」と「死」。50歳過ぎてから体力の衰えをひしひしと感じ、「老いと死」がぐーんとリアルになってきた。
あ〜〜… 目がかすむ〜
死ぬ〜
徹夜すると3日間は使いモノにならない
つかれた…
はあ〜…
朝起きぬけの第一声が
いつか人は老いて死ぬ。これは真理。避けては通れない。
フガフガ
さらば
老
死
なので常に「老いと死」を意識して残された人生を、共に楽しく生きていきたい。
老いでーす
なとみでーす
死でーす 3人合わせて
老い
死
ザ・終活でーす！

なのでここ数年は断捨離したり
必要じゃないモノや考え方
ポイ
疲れるだけの人間関係
ポイ
ゴミ箱
やりたかった事をやってみたりと
ウォータアアア
女優学校へ行ったり
合宿で自動車の免許を取ったり
ドドドドドド
…
滝行したり
ウィッグをかぶってるわ・た・し♡
婚活パーティーに行ってみたり
毎日それなりに楽しく日々を過ごせているし
このままいけばきっと悔いなく逝ける！
ラオウのように…
そう思っていたんだけど
突然ある事に気がついた！
カッ!!
はっ!!
!?
今意識してやってる事って、「動けなくなるまでに」やっておきたい事ばっかりじゃない？いや、それも大切なんだけど…
「動けなくなって死ぬ」までについては全然考えてないよね!?
むしろ考えるべきは動けなくなって死ぬまでの方じゃないのか？

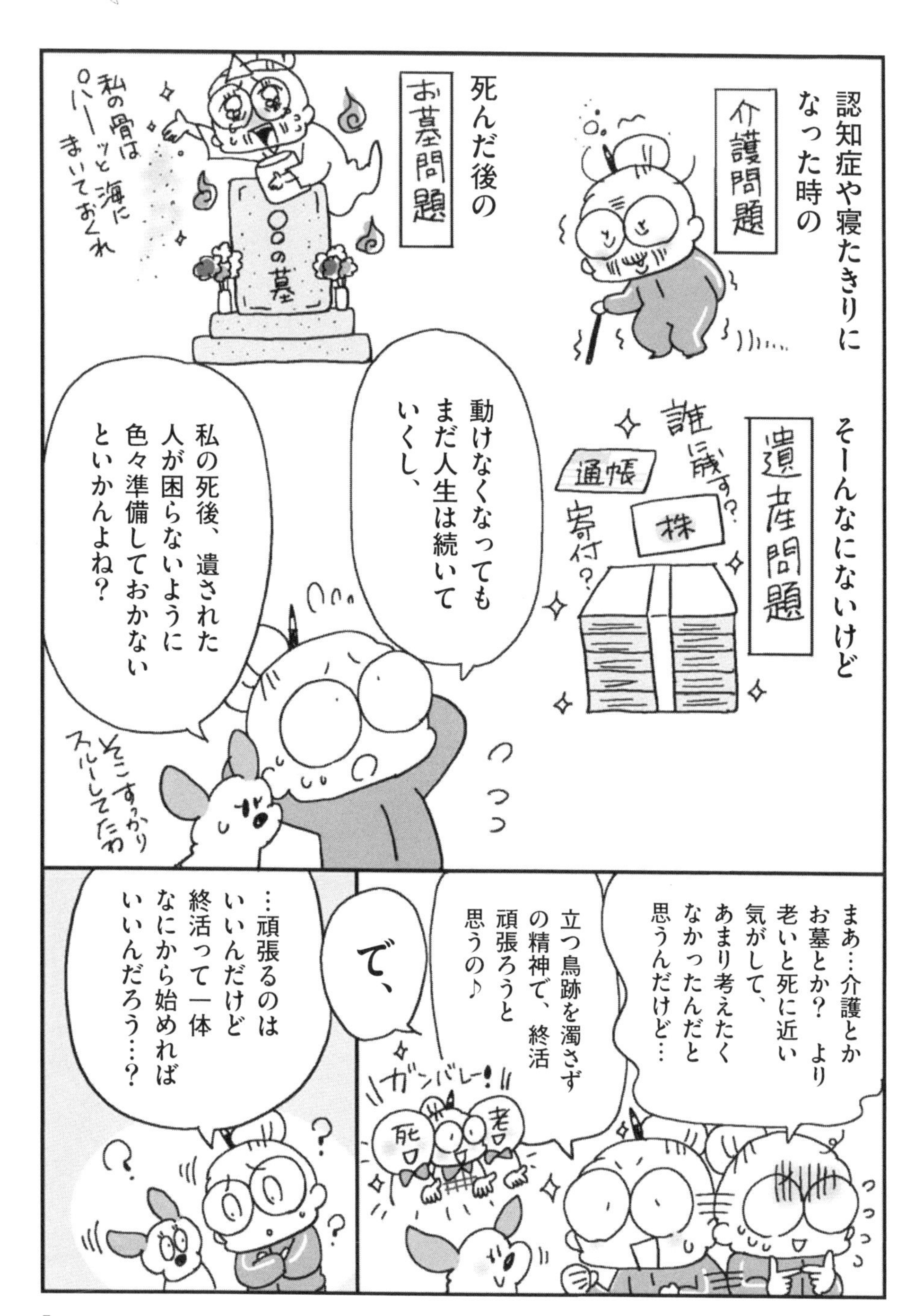
認知症や寝たきりになった時の
介護問題
死んだ後の
お墓問題
私の骨はパーーッと海にまいておくれ
○○の墓
そーんなにないけど
遺産問題
誰に残す?
通帳
株
寄付?
動けなくなってもまだ人生は続いていくし、
私の死後、遺された人が困らないように色々準備しておかないといかんよね?
そこすっかりスルーしてたわ
まあ…介護とかお墓とか? より老いと死に近い気がして、あまり考えたくなかったんだと思うんだけど…
立つ鳥跡を濁さずの精神で、終活頑張ろうと思うの♪
ガンバレー!!
死
老
で、
…頑張るのはいいんだけど終活って一体なにから始めればいいんだろう…?

!
ブブブブブ
○○さん
はい、なとみです
Kさん
お久しぶりです
ごぶさた
してます！
ねーねー
なとみさん
なとみさん
編集Kさん
おひとりさまの
終活について
漫画、
描きませんか？
描き
ます!!
早いっ!!
即決
すぎる!!
考えましたか？
ちゃんと？
いや〜最近己の
「老いと死」に
ちょっと不安
だったもので、
終活について学び
たいと思っていた
んです！
Kさん
ナイスタイミング！
「老い」とか「死」とか
不安ですよね〜
韓流ドラマの
梨泰院クラス
って観ました？
Kさんも
おひとりさま
はい、
観ましたよ
天涯孤独の
主人公が逮捕されて
収監された後の部屋の
処理を幼なじみが
やっていて〜

おひとりさまはうっかり収監されるのも厳しいんだなぁ〜って、つくづく思ってそこから自分の「死」についてまでも考えるようになったんです！
なるほど！
死と向き合うタイミングって人それぞれだなぁ
じゃあそういう事でなとみさん!!
一緒に勉強して、自分なりの「終活」、目指しましょう！
はい！よろしくお願いします!!
と、いう事で「おひとりさまの後始末」始まり始まり〜
おひとり様終活ツアー
後始和旅

もくじ

3章

死んだ後、私はどこに行くの？ 57

4章

私の財産どうしよう？ 87

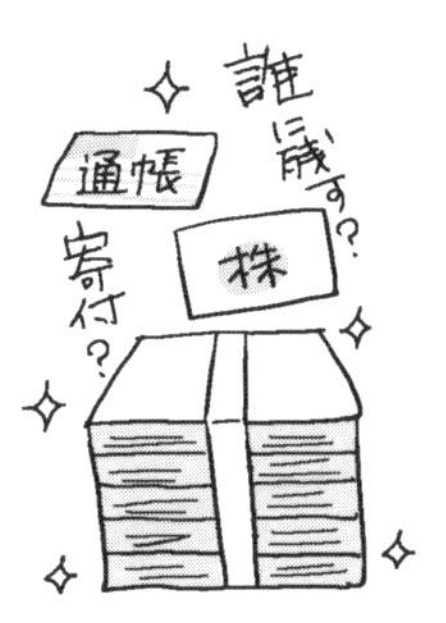

んぎゅっ!!

1章

後始末、はじめの1歩

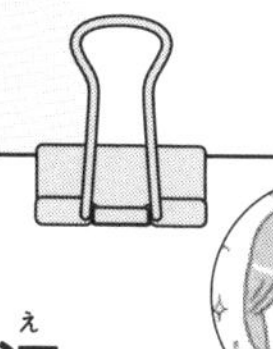

やまだ しずえ
山田 静江

ファイナンシャル・プランナーCFP®、終活アドバイザー、NPOら・し・さ副理事長。早稲田大学商学部卒業後、東海銀行（現 三菱UFJ銀行）に入社。会計事務所、独立FP会社勤務を経て、2001年にFPとして独立。医療や介護、相続など、人生後半期の課題を得意とする。

後始末、なにから始める？

ところでKさん
スピ〜……
「自分なりの終活を目指す！」って決めたのはいいけど一体なにから始めればいいんですかね〜〜〜？
なんとなく終活＝身のまわりの整理は少し進んだんですけど
くるくるくる
引越しも4回やったし
ですよねー そう思ってまずはNPO法人ら・し・さの終活アドバイザー山田静江さんに終活入門的な心構えを教えてもらう事にしました
編集Kさん
終活アドバイザー！
…ら
し
さ
？
なんですか？それ？

こんにちは
終活アドバイザーの
山田です！
終活
アドバイザーって
いうのはー
医療・介護など「高齢期の困り事」
年金、預貯金、不動産など「老後のお金の事」
葬儀、お墓、相続など「亡くなったあとの事」etc…
こういった人生後半期の
不安や困り事に
相談者に寄り添って、
アドバイスや
サポートを行う
専門家の事です！
ドーンとーい!!
終活アドバイザー
なにそれ
心強い!!
心配な事全部コンプリート!?
まずはざっくり
「おひとりさま」
について
説明しますね
おひとりさま
よろしくお願いしまーす
ほんと心強い♥
しおり

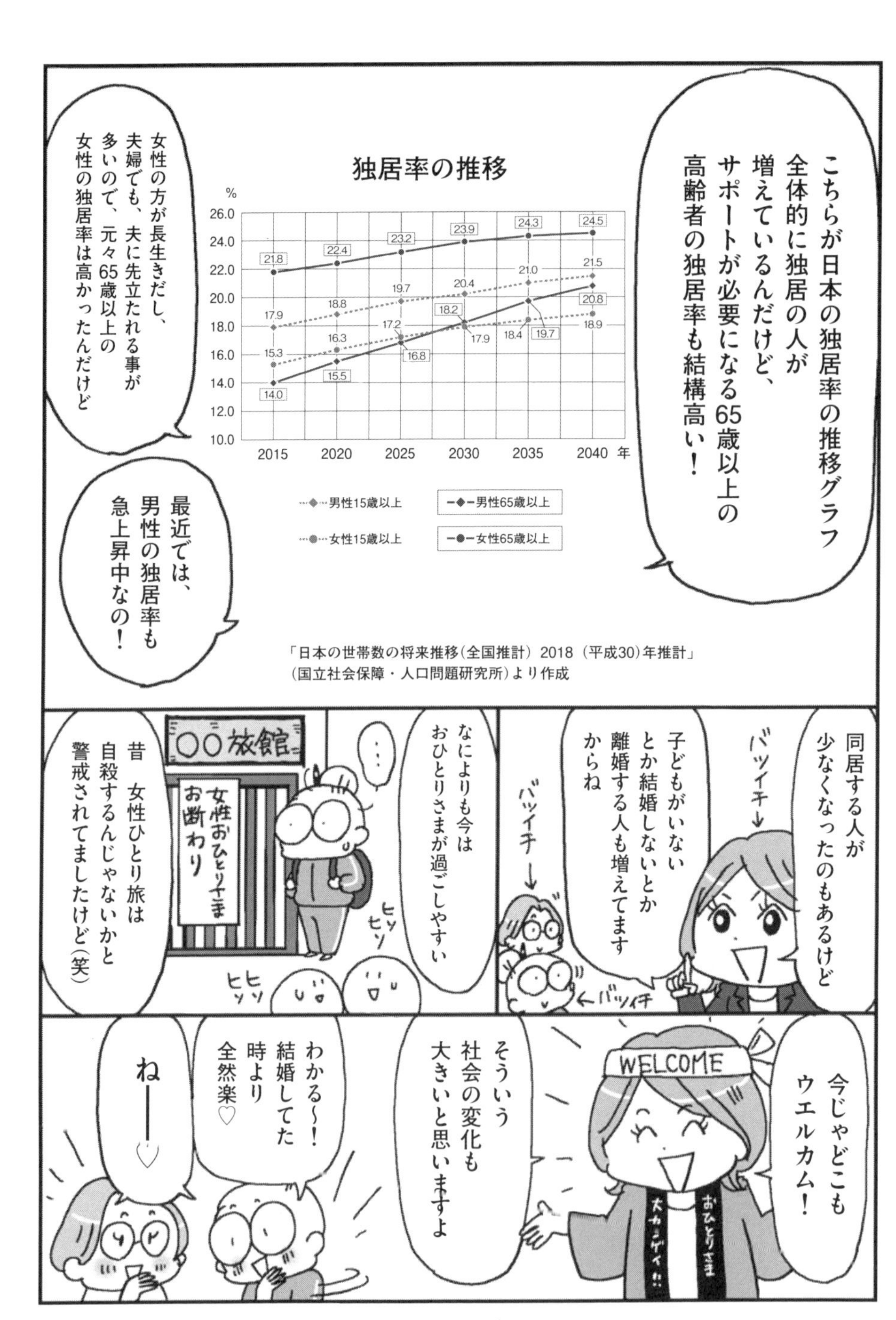

こちらが日本の独居率の推移グラフ
全体的に独居の人が
増えているんだけど、
サポートが必要になる65歳以上の
高齢者の独居率も結構高い！
独居率の推移
%
26.0
24.0
22.0
20.0
18.0
16.0
14.0
12.0
10.0
2015
2020
2025
2030
2035
2040
年
21.8
22.4
23.2
23.9
24.3
24.5
17.9
18.8
19.7
20.4
21.0
21.5
15.3
16.3
17.2
18.2
18.4
20.8
14.0
15.5
16.8
17.9
19.7
18.9
男性15歳以上
男性65歳以上
女性15歳以上
女性65歳以上
女性の方が長生きだし、
夫婦でも、夫に先立たれる事が
多いので、元々65歳以上の
女性の独居率は高かったんだけど
最近では、
男性の独居率も
急上昇中なの！
「日本の世帯数の将来推移（全国推計）2018（平成30）年推計」
（国立社会保障・人口問題研究所）より作成
同居する人が
少なくなったのもあるけど
バツイチ↓
子どもがいない
とか結婚しないとか
離婚する人も増えてます
からね
バツイチ↓
←バツイチ
なによりも今は
おひとりさまが過ごしやすい
…
○○旅館
女性おひとりさま
お断わり
ヒソ
ヒソ
ヒソ
ヒソ
昔　女性ひとり旅は
自殺するんじゃないかと
警戒されてましたけど（笑）
今じゃどこも
ウエルカム！
WELCOME
おひとりさま
大カンゲイ!!
そういう
社会の変化も
大きいと思いますよ
わかる〜！
結婚してた
時より
全然楽♡
ね———♡

ばばん!!
一方で
おもな
困り事は!
この
4つ!!
ばばばばばーーん!!
四大困り事
病気
けが
介護
認知症
死後の
手続き
相続
まずは「病気・けが」
病気やけがの時
通院サポートがないのは
結構きつい!
私も骨折で緊急入院した時、
本当に困ったの
下着とか
化粧品とか
どうしよう〜
大きな病院でないと、
コンビニみたいなお店はないし…

家族がいても思い通りのモノを持って来てもらえない場合もあるから
家族
下着持って来たよ♡
こんなボロイの持って来て…これじゃないんだよ～
あ、ありがとう
これって結構あるあるだよね～
お願いした手前「違う！」なんて言えないしねー
入院セットの例
下着
基礎化粧品
歯ブラシ&コップ
いつも飲んでる薬2-3日分
内服薬
お薬手帳
NOTE
重要な連絡先一覧（紙で）
保険証
健康保険証のコピー
スペアキー
10000
5~10万円の現金と小銭
タオル
ティッシュ等
なので事前に自分で準備しておけば間違いない！
はい！帰ったら準備します！
あとね、保険の代理店の担当さんが
代理店
ほしいモノ買っていきますよ！
って、買って来てくれたの本当、助かったわ～
慣れてる
ネット保険もいいけど困った時のために代理店もありだな～って思った♡
やっぱ人よね～
そんな使い方が…勉強になります～
メモ

そしてお次は
介護・認知症の
問題ね
介護
認知症
年をとると
食事や洗濯・掃除などの
ちょっとした事から
ガーガー
電球を替えるとか
家電製品の
設定とか
お家のメンテナンス
とか
自分ができない事が
増える。
なかなか
知ってる誰かに
頼む事も
できないし
すべてお任せください!!
お若いあなた
よろしくね!
困ったわ〜
悪徳
合計で
100万円です
うっかり変な人に
頼んじゃって
詐欺や悪質商法に
ひっかかっちゃったり。
さらに、
認知症がすすむと
なにやられているか
わからなくなるし
お金の管理や手続きが
できなくなって
親切なふりして
近寄ってくる人に、
だまされやすくなっちゃうのが、
おひとりさまの
ウィークポイント!
たんたん!!
こわ〜い

そしてお次は
死後の手続き
どん!!
まってました!
よっ!山田家!!
ぺしっ
これは自分自身で絶対にできません!
あしからず!
死後の手続きには死亡届や社会保険などの行政手続きや火葬や納骨もあるし
電気・ガス・スマホなどの各種解約手続き
住んでた家や家財道具の処分なんて作業もある
死亡届
あたしが死んだらみーんな捨てちゃって〜!
なーんて気軽に言う人もいるけどもー
家財道具の処分費
普通のおうちで
30万円
本とかが多かったら
100万円
ドーン!
えっ!? そんなにかかるの!?
かかるのよ〜!
しかも、死んだ人の部屋に入ってものを捨てるってけっこうキツイ
その分の費用も含めてある程度のお金をキープして生前に頼んでおくのが大切

そして最後に「相続」の問題
相続人は誰か？相続財産はなにがあるのか
遺言を残すにしても手続きしてくれる人がいないとだめだから、しっかり頼んでおく事ね
遺言
ま、大きくわけてこの4つについては「おひとりさま」は誰かに頼らなくちゃね～
子どもがいない同業の人たちはめいっこやおいっこをめちゃくちゃかわいがってます（笑）
よ～し、よしよし♡
おい
めい
何十年ぶりに連絡がきた知らないおばさんの荷物なんて片づけたくないでしょう
そうですね
めいやおいなら契約がなくても火葬や納骨ができるから生前から頼んでおくといい
他人や友人に頼む時は死後事務委任契約が必要だからね～
血のつながり最強!!
その困り事対策の前段階としておひとりさまの私が、いまいいって事ありますか？
それはこれ!!

ばばーん!!
頼れる人を探す
お金まわりの整理
思いを書き出す
住まい・身のまわりの整理
この4つよ!!
まずは頼れる人を探す事
なによりおしゃべりする事が大切!
そんなに親しい人じゃなくてもいいの！コンビニに行ってちょこっとおしゃべりするだけでもいいの。
今日は冷えるねー
本当に!
店員
健康に関しては
かかりつけ医
や
かかりつけ薬局
を持っておくと、頼りになるし、安心!
65歳過ぎたら住んでる町の「地域包括支援センター」に行ってみよう!
どんとこーい!!
地域包括支援センター
地域包括支援センターは介護をはじめとした高齢者の総合相談窓口

センターも地域ごとに担当が決まっていて、高齢者の困り事や親族・知人の連絡先を把握しておきたいハズ。
よろしくお願いします
なにかあったら連絡してください!
担当さん
ささいな事でも構いません
ちょっと心配だなあって思ったら相談に行って連絡先を聞いておけばちょっと安心。
あとは入院した時や施設入居時に必要になる
身元引受人
保証人
病院や施設は遺体の引き取り手がない事と料金が未払いになる事が一番困るから。
を探しておくのも重要!!
引き取り手が…
お金も未払い…
遺体の引き取りだけでも親戚に頼めるといいよね
まあ、頼めなくても大丈夫!お金を出して、専門家などと
財産管理等委任契約
任意後見契約
死後事務委任契約
とか結べばおひとりさまの入院も入居もなんとかなる事もあるから安心して!
自分に関わる人をいかに味方につけられるかが大事!自治体にも、SOSを出せば支援が受けられるはず!
とりあえず地域包括のケアマネさんに相談しておくだけでもOK!
おお~!

お金はこれからの生活のためにも資産の一覧表を作っておくといいですよ！
一覧表
公共料金や契約の一覧もあるとなおよし！
…大変そう
ボツ…
まあぼちぼちで♪
私はエンディングノートが本当に大切だと思うんです
悲しいけど、自分の情報って自分でも段々忘れてわからなくなるから
友人・親族の名前や連絡先他にも預貯金や保険の事なんかも書いておけば、いざという時困らないでしょ？
年賀状のやりとりも減ってるし、知り合いリスト、たしかに助かるかも！
それと介護や終末医療に対する思いや希望も書いておきましょう
エンディングノート
延命治療はしません
口で「延命はいやだ」って言ってても、その場になったら自分は意識不明かもしれないそしたら判断する人がいないんです
なので自分の思いを書いておく事が大事

私も
延命は
したくない
です
食べられなく
なったら
そのまま逝きたい
私も
同じです〜
人生最後は思い通りに
生きたいですよね！
そのためにも
エンディングノート
みなさんも書いて
くださいね！
エンディングノート
住まい・身のまわりの整理は
断捨離しろ！ って事じゃなくて
「重要書類をまとめておく」って
いう事。これがなによりも大切！
重要かも？な書類
生命保険証書
通帳
etc…
紙袋とかダンボールでも可！
ここに大切な物、全部
入ってるよ！ って残す人に
早めに伝えておきましょう！
もちろん部屋はキレイがいいよねー
重要書類がすぐ見つかるようにね
もう少し色々あるけど
大体こんな感じかな
まずは
できる
事から
がんばって！
は、
は〜〜い…！

コラム 01

おひとりさまの困り事はこうして解消！

**終活アドバイザーの山田静江先生に教わった「おひとりさまの困り事」について、さらにくわしく伺った内容を編集部が解説！
年をとって病気や要介護状態になったら、どうすればいいの？
私が死んだらあとはどうなる？
おひとりさまの不安や心配を解消します。**

実際に困り事が起こったらどうする？

おひとりさまの主な困り事は「病気・けが」「介護・認知症」「死後の手続き」「相続」の4つ。なかでも、最初に直面するのが「病気・けが」。必要な手助けは①「通院時のサポート」②「入院・手術時の身元保証人」③「緊急入院時の準備」④「支払いなどの手続き」などが考えられます。

①まず病気やけがをすると、ひとりで病院に行けない場合が多いので、タクシーを呼んだり車を出したりして、通院時にサポートしてくれる人がほしい。②入院・手術時には、同意書にサインをする身元保証人が必要です。家族でなくても友人や知人でも身元保証

人になれる事があるのですが、司法書士や行政書士、弁護士といった専門家は基本、身元保証人の引き受けは行わない事が多いので注意。身元保証人を代行してくれるサービスもありますが、費用が高額など問題が起こるリスクがあると知っておきましょう。

③そこそこの年齢になったら、緊急入院セットを、自分で事前に準備しておくのがベストです。不足分の買い物など、やはり頼りになるのは気心の知れた友人。緊急時に備えて20〜30万円の現金を家に置いておくか、友人に預けるかして、そこから買い物などをしてもらえるようにすると便利です。

④窓口の支払いが現金のみの場合もあります。ある程度の現金は準備しておきましょう。医療費の支払いについては、自己負担限度額を超えた分は、高額療養費として健康保険から支給されます。高額になりそうな時は、マイナ保険証を利用するか、あらかじめ市・区役所に申請し「限度額適用認定証」をもらっておけば、窓口での支払いを自己負担額までの金額にとどめる事ができます。

四大困り事のふたつ目の「介護・認知症」については、「食事・洗濯・掃除」「家のメンテナンス」「お金の管理・手続き」「詐欺・悪質商法」といった問題が発生します。

年をとると、ちょっとした家事だけでなく、電球を替える、家電や家具を移動するなど、家のメンテナンスを自分で行うのは難しくなります。だからといって知らない人に頼むと、頼んだ業者が脅してきたり、詐欺まがいの事をしたりする悪徳業者だったという事は珍しくありません。知らない人が家に入ってくるだけでもリスクがあるのです。認知症になると、お金の管理・手続きは、さらに気をつけなければいけません。

3つ目の「死後の手続き」は、自分が死んだあとに「火葬・納骨」「行政の手続き」「各種解約の手続き」「家や家財の処分」などが課題となります。

「介護・認知症」「死後の手続き」について、誰にどういった方法で頼むかは、2章でくわしく紹介します。

四大困り事の最後の「相続」で特に気になるのは「相続人」「相続財産」「不動産の処分」「遺言執行者」など。こちらの解決方法は4章で解説します。

いずれにしても、重要なのは「人間関係」と「財産管理」。これらが肝になるのです。

その人のすべてがわかるエンディングノート

おひとりさまの遺志を伝えるには、法的拘束力のある遺言書が最強ですが、形式や書く内容に制限があります。一方、法的拘束力はないものの、自由に書けるのが「エンディングノート」です。

エンディングノートは、一言でいうと「その人の事がすべてわかる」もの。親族や知人、財産のリストなどの「情報」、医療介護や相続などの「希望」を伝えられるので、あなたを助けたい人が困りません。

また終末医療についての希望もぜひ書いておきましょう。延命治療をしたくないならしたくないと明示しておく事が大切。このノートなど自分の希望をケアマネジャーやドクターと共有できていれば、通常、不要な延命治療の意向はないと合意されます。

終末医療について心配なら、公証役場で「尊厳死宣言公正証書」を作成するのもひとつの方法。これも法的拘束力はありませんが、この宣言書をドクターに示し、希望を伝えます。作成したら、エンディングノートに記載しておきましょう。

さらに財産や人間関係を書く事で、自分自身の人生の棚卸しができて、今後の財産整理

文書例

尊厳死宣言書

私が意識がなくなったり、意思を伝えることができなくなったりした場合は延命措置をしないでください。

食事を自力で摂取できなくなった場合には、経鼻胃管の挿入や胃ろうなど、点滴や栄養補給はしないでください。

病状が厳しくなり、苦しんでいるようなときは緩和治療を行ってください。

私の治療において尽力してくださった医師、看護師、介護スタッフの方々に心より感謝しています。

どうか私の意思を尊重してください。

△△年　△月△日
□□県□□市□□町□□□□□
○○○○（印鑑）

や相続の準備もできます。

エンディングノートに気持ちをまとめたら、住まいと身のまわりの整理にも着手しましょう。例えば先ほどの入院セットの準備に加え、重要書類のまとめ、荷物の整理、住み替えの検討なども始めましょう。

断捨離まではできなくても、最低限、定期的にゴミは捨てておきます。不要なクレジットカード類はハサミを入れる事を忘れずに。そして重要書類は、間違って捨ててしまったり、死後、見つけられないなどのトラブルを避けるため、ひとつの紙袋やボックスにまとめておきましょう。

高齢者施設への入居や頼れる人の近くへの転居などの「住み替え」、終（つい）の棲家についても検討しておきましょう。実は住み替えは、いらない物を一挙に捨てて家が片づくチャンス。たとえ住み替えなくても、期限を決めて片づけるとよいですね。

簡易エンディングノート

記入年月日　　　年　月　日

私の基本情報

氏名　　　　　　　　　　男・女

生年月日　　　血液型　　（RH ＋ －）

住所　〒

自宅電話番号

携帯電話番号

メールアドレス

戸籍情報

	本籍地	筆頭者
現在↓過去		

急に倒れたときの連絡先

氏名	関係	連絡先

私の好きなこと・嫌いなこと

（食べ物、飲み物、香り、音楽、色、花、言葉、場所など）

好きなこと	嫌いなこと

かかりつけ医

病院名	科	担当医	連絡先など

これまでの病歴や手術歴

病名・症状・手術内容	かかった時期	経過

アレルギーについて

お薬手帳の保管場所

終末期の希望

（延命治療の希望の有無、余命宣告の有無、病名宣告の有無など）

遺言やメッセージの保管場所

遺言➡

メッセージ➡

預貯金の口座

金融機関・支店名	口座番号

有価証券（債権、株式、投資信託など）

金融機関・支店名	口座番号

クレジットカード

カード会社名	引き落とし先	用途

公共料金やサブスクリプションサービスの利用状況

サービス名（連絡先）	アカウント	引き落とし先	支払日・金額

拡大コピーして、作成してみましょう。

2章

頼れるのは誰ですか？

自治体

きた み かず ゆき
北見万幸

横須賀市福祉専門官。同市の終活支援の生みの親。早稲田大学卒。1982年入庁。生活保護ケースワーカーや精神保健福祉相談員、生活困窮者自立支援法担当課長などを経て2017年福祉部次長。退職後も福祉専門官として勤務。

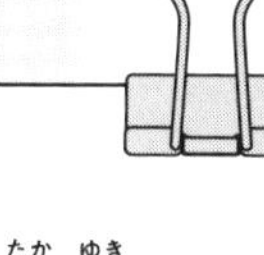

つじ うち たか ゆき
辻内喬之

三井住友信託銀行人生100年応援部調査役。2011年に入社。店舗、ダイレクトバンキング部、個人企画部を経て、現職では、相続関連業務に従事。共著に『「最高の終活」実践ガイドブックQ＆A』（金融財政事情研究会）『やさしい信託法』（日本加除出版）など

おひとりさま信託

つながり

やま だ しず え
山田静江

（→P11）

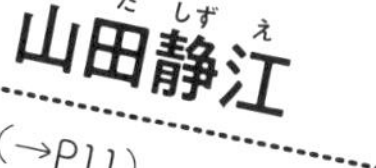

頼るためのつながりを

はい!
山田先生のアドバイスをもとに、終活始めようと思うんですが
「誰に頼るか」について、もう少し詳しく教えてもらっていいですか?
知りたい知りたい!
実は私頼るのって苦手で…人付き合いも上手くないいんですよね~
めっちゃ不安…
「人に頼る」って別に「頼れる友達を絶対に作らないと!」って事じゃなくて
もっとゆる~く考えるといいと思います
ゆる~く?
例えばケアマネさんとかプロに頼るのもいいと思う。
ケアマネさん
お任せ下さい!
だって親戚やお友達って意外と本音を言いにくくない? その点、専門知識があるプロが相手だと
ケアマネさんプロで経験も豊富。このぐらいお願いしてもいいかな♡
ご相談が…
なんでも言って下さい
と、ちょっとした事でも相談しやすい。

しかも合わなかったら
別の人に変えれる事も
できる！
ケアマネさん
相談しにくい…
チェンジ!!
よろしく
今度の人、合う〜♥
これが親戚とか友達だと
そういうわけにはいかないし（笑）
だから！
プロ
「プロに頼る」も
全然ありよね！
そもそも
人に頼るって
すごく難しい
いざっていう時
頼れないでガマン
しちゃう人が多いの！
どーん!!
だからまず
歯医者や皮ふ科の
先生でもいいので
かかりつけ医を作って
「頼る」練習を
しましょう！
年齢を重ねていくと
健康面で相談したい事が
増えていくから
看護師
医師
そこで先生や看護師さんに
相談して少しずつ「頼る」練習を
していくといいですよ
なるほど〜
「頼る練習」
かぁ〜
でも私も頼るの苦手…
プロに
頼るでも
いいのか…
私は
そっちの方が
楽かも〜
うちの母はね
96歳で、実家の
一軒家でひとり暮らし
しているんです
頼り上手ですよー
イエーイ!!
96
え!?
96歳で
ひとり暮らし!?

そーなの♪
近くに妹一家と兄一家が住んでいるんだけど、ちょっと変わり者だから、同居はムリ!
まだまだひとりでやれるわさ!
本人も元気で階段の上り下りもスタスタできるし
スタ
スタ
事故のリスクがあるお風呂は銭湯へ行くし(人目があるから安心よね)
ごはんはお惣菜を買ってきて家でお米だけ炊いて火を使わないようにしてるし
ひとりでも工夫して暮らしてるの。
一度母に
ひとりで寂しくなったりしないの?
って聞いたら
そういう時はね
バスででかけるのよ

テレビで新しいビルができたって聞くと
ここに行ってみたい！
場所はどこかな～
って場所を調べてバスを乗りついで行っちゃうんだって
それはすごい…
調べるのだって大変そうですよね～
私も母に
それすごく時間かかりそう
って言ったら
他にやる事ないから時間はいーっぱいあるのよ
たしかに～(笑)
そうやって出かけると行った先で、色んな人とおしゃべりができる。
ほーほー
この道をまーっすぐ
いってらっしゃい
ありがとね
ピッ
あとは近所のお店にご飯食べに行っておしゃべりするらしい。
とにかくね

寂しい時はしゃべる人を見つけに外に行こう！
ドーン!!
だって♪
やっぱり元気で長生きしてる人の話って、学びだな〜って思ったわ
素晴らしい！自立してらっしゃる!!
自分でできるところは自分でやって頼るところはゆる〜くうま〜く頼ってる（笑）
しかも子どもだけじゃなくて近くの他人にも（笑）だから「人に頼る」ってこのぐらい、ゆる〜い感じでもいいのかなって思うんです
そうかーそのぐらいのゆる〜い感じならできそうです
ただ施設入居や入院時には
身元引受人
身元保証人
を誰かに頼って、ちゃんと決めておかないとダメ！
なぜなら病院や施設が一番困るのが遺体の引き取りと、お金の未払いの2点だから

財産管理等委任契約
任意後見契約
死後事務委任契約
家族や親族に頼りたくないのなら財産管理等委任契約や任意後見契約と死後事務委任契約を専門家と結んでおけばいざという時支払いや、引き取りもお願いできます
先生！そこんとこ全然わかりません!!
委任？後見？
今の時代契約や委任状がないと家族でも勝手にお金を下ろせないだから契約って大切
任意後見契約
死後事務委任契約
特におひとりさまが絶対に結んでおいた方がいい契約は
このふたつ！
ココテストに出まーす！
「任意後見契約」は認知症などで判断力が低下した時に
介護
医療
お任せ
任意後見契約
あーれ！
預貯金や不動産などの財産管理や、医療・介護の手続きや支払いを後見人にやってもらう制度

公証役場で契約書を
作成します
公証役場
OK!
契約書
判断力はあっても
体が不自由でお金を
下ろしたり買い物に
行けない場合は
任意代理契約
（財産管理等委任契約）
というのも
あります
「死後事務委任契約」は
・社会保険関係の届出
など役所関係の手続き
・遺体の火葬・納骨・
部屋の片づけなど
死亡届
死後の手続きを
あらかじめ
お願いしておく
契約
これも公証役場で
契約書を作った方がいい
はい！
お願いする人は
誰でもいいん
ですか？
友達や
おい・めいでも、
弁護士や
司法書士などの
法律の専門家でも、
おひとりさま支援を
行っている
会社でも
大丈夫です
友人
ケアマネ
弁
めい
おい
司
ただし、専門家に
お願いする時には
契約を実行してもらう時に
お金がかかります
さらに、医療同意や身元保証は
病院や施設によっては
認めないところもあるから、
よく確認してね！
なかなかシビア…

とにかくひとりでも味方を作っておけば、いざって時はその人がなんとかしてくれるかもしれない
完璧じゃなくてもいいから自分に関わる人をいかに味方につけるか、っていうのが重要なんです！
やっぱり大事にしたいのは人間関係
今いる友達は大切に♪
ぐちは言いすぎない
頼りすぎない
もっと言えば「友達」というより、価値感でつながる「仲間」を作るって感じかな
いい距離感でなんかあったらサッとかけつける、みたいな？
おひとりさま同士でも元ママ友でも価値観同じ人にはカギ預けられますね
友達は少ないけどそういう仲間はいます！
なんか少し勇気がでてきました
そーそー
肩肘張らずにゆる～いつながりでいきましょう

行政は頼りになりますか？

と、いうわけで
やって来ました
横須賀!!
本日お話を
伺うのは
この方!!
こんにちはー
北見ですー
よろしくお願いします！
はい！
どうして
横須賀市が終活の
トップランナーに
なったんですか？
話は江戸時代に
さかのぼります。
現在の横須賀市・浦賀が
綿花栽培の肥料になる
イワシを干した「ほしか」の販売で
猛烈に栄えて、たくさんの方が
全国から集まりました。
浦賀
わーい!!
Let's
うらが!!
ドドドドド！
そういう方が亡くなったあと
無縁仏になる方々もいて、
地方自治体では珍しく公営の
納骨堂があったんです
これが
「エンディングプラン・
サポート事業」に
つながったんです
エンディングプラン・
サポート事業？

市民が生前
葬儀や埋葬について
葬祭事業者と相談し
散骨がいいな♡
市民
OK！
葬祭事業者
死後事務委任
契約を結び
亡くなった後に
散骨します
OK！
市
骨
葬祭事業者
ちゃんと実行したか市が
確認してくれるやつですね
そうです
それと納骨堂が
どんなふうに
つながったんですか？
引き取る人がいない
ご遺体は
地方自治体が
火葬（または土葬）する事が
法律で義務付けられており、
そういった遺骨を横須賀市では、
納骨堂にお納めしているんです
ただ、１９９０年半ばごろから
お名前のある骨壺が
増えてきました
つまり
住民票もあって、
身元もわかる
でも身寄りがない方が
増えてきたんです
まさに
おひとりさま!!
そういった方たちは基本
無宗教で火葬
納骨堂に
納めるんですが、
もしかして
ご本人は
こうしてほしかった
っていう希望が
あったんじゃ
ないか

その方々の死後の尊厳を
守れたのだろうか
…
納骨堂に並べられた
骨壺を見ていたら
…
そんな思いが
こみ上げてきまして
ひとりで亡くなった方は生前も
孤独を感じていたかもしれません。
だから、
生きてるうちに
相談に乗る
訪問をする
こんにちは！
電話をする
もしもし
亡くなったら
話を聞いた職員が
炉の前で
手を合わせ
骨を拾い
納骨する
その方の尊厳を死後まで
守り続けるという信念のもと
「エンディングプラン・サポート事業」
をスタートさせました。
始めた頃は本当にこれで大丈夫か？
ちゃんと寄り添えているのか？
と半信半疑でした。
…
そんなある日
無縁仏として火葬された方の
お部屋で写真を探していました。
そうしたら
お菓子の缶の中から
手紙が出て
きたのです。
COOKIE
それは
私、死亡の時
15万円しかありません
火葬・無縁仏に
してもらえませんか
私を引き取る人が
いません。
遺書でした。

その遺書を読んで
私は確信したのです。
ああやっぱりどんな人だって
生前に言いたい事はあるんだよ
生前に自分は引き取って
もらえないんだって
わかってるんだよ。
しかもちゃんとお金まで
残して…迷わくかけまいと…。
今我々がやっている事業は
間違っていない。
生前に思いを聞いて
寄り添い続け
COOKIE
「自分はひとりじゃない。
死んだあとに手を
あわせてくれる人がいる」と
安心して逝ってもらいたい。
そんな我々の思いは間違って
いないんだ！ と、
勇気をもらえた出来事でした。
だーーっ!!
ボロボロボロボロボロ
ええ話や!!
ぶーー
っ!!
横須賀市に
引っ越したら私も
やってもらえますか？
この事業は
所得などの要件と
面接があるんですよ
本当に必要な人に
届くように

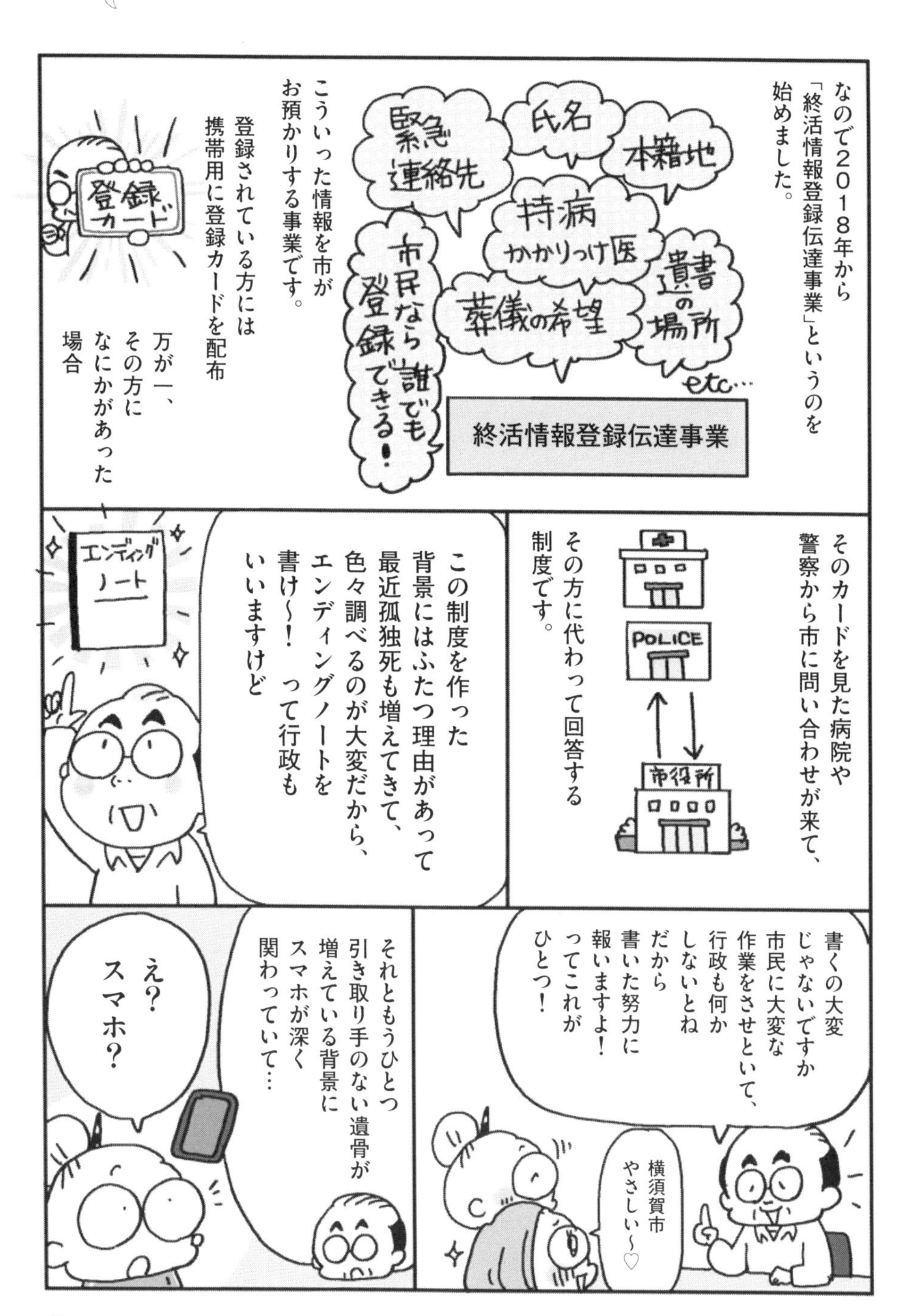
なので２０１８年から「終活情報登録伝達事業」というのを始めました。
氏名
本籍地
緊急連絡先
持病 かかりつけ医
遺書の場所
葬儀の希望
市民なら誰でも登録できる！
etc…
終活情報登録伝達事業
こういった情報を市がお預かりする事業です。
登録カード
登録されている方には携帯用に登録カードを配布
万が一、その方になにかがあった場合
そのカードを見た病院や警察から市に問い合わせが来て、
その方に代わって回答する制度です。
POLICE
市役所
この制度を作った背景にはふたつ理由があって最近孤独死も増えてきて、色々調べるのが大変だから、エンディングノートを書け〜！ って行政もいいますけど
エンディングノート
書くの大変じゃないですか市民に大変な作業をさせといて、行政も何かしないとねだから書いた努力に報いますよ！ってこれがひとつ！
横須賀市やさしい〜♡
それともうひとつ引き取り手のない遺骨が増えている背景にスマホが深く関わっていて…
え？スマホ？

そう、昔は大体、手書きの電話帳が電話の脇に置いてあったし、
電話帳
手紙のやり取りもあった！
どうにか必要な人に連絡が取れた
でも今は、ぜーんぶスマホの中
ガードは固いぜ！
顔認証にしてたら死んだら目が開いてないからロックが解除されにくい。連絡の取りようがない。
そうか指紋認証ならそっと手をとって…もできそうなのに
でも住民票とかありますよね？
住民票や戸籍には住所は書いてあるけど電話番号は書いてない
固定電話の時は、住所がわかれば電話番号が調べられたんだけど今はそれもできない
郵便などで、連絡が取れても遺された人が、故人の思いにアクセスできるかはわからない
だから行政が責任持って手がかりになる情報を預かって必要に応じて対応するのが一番だと思います

さらにこのカード
死後の利用
だけじゃなくて
登録カード
「家族がいない」って言ったら
病院から入院を拒否されたんだけど、終活登録カードを見せたら入院できたとか結構生前も使えるんですよ(笑)
魔法のカードですね！
私もほしいです！
そういう事やってくれるの横須賀市だけですか？
地方自治体の中でもぽつぽつあります
でもどこも必要性は感じてて問い合わせもあるし勉強会・講演会の要望もきますすよ
私が住んでるところでもそういうのやってくれるといいのになぁ〜
はぁ〜
でもいざとなったら
あたしもあたしも
横須賀市に引っ越します!!
最後までよろしくお願い致します!!
いつでもいらしてくださいお待ちしています

信託預金で終活を!?

私、
友達少ないし
私が住んでる
地域では、
そこまで終活支援
してくれないし…
なので
ここはひとつ！
金で解決
するしか
ないわね
なんか方法
ないかしら
カタカタカタカタカタ
カタカタカタカタ
なんて直接的な
表現…！
キライじゃないわ…むしろスキ!!
あっ…
あった〜!!
マジでぇ〜!?
あった
あったー♪
その名も
おひとりさま
信託〜!!
早速
お話聞きに
いきましょう！
レッツラゴー
ドドドドドド!

※出所：国立社会保障・人口問題研究所「2018年統計 日本の世帯数の将来推計」

※「遺言信託」の詳細は、三井住友信託銀行の窓口までお問い合わせください。

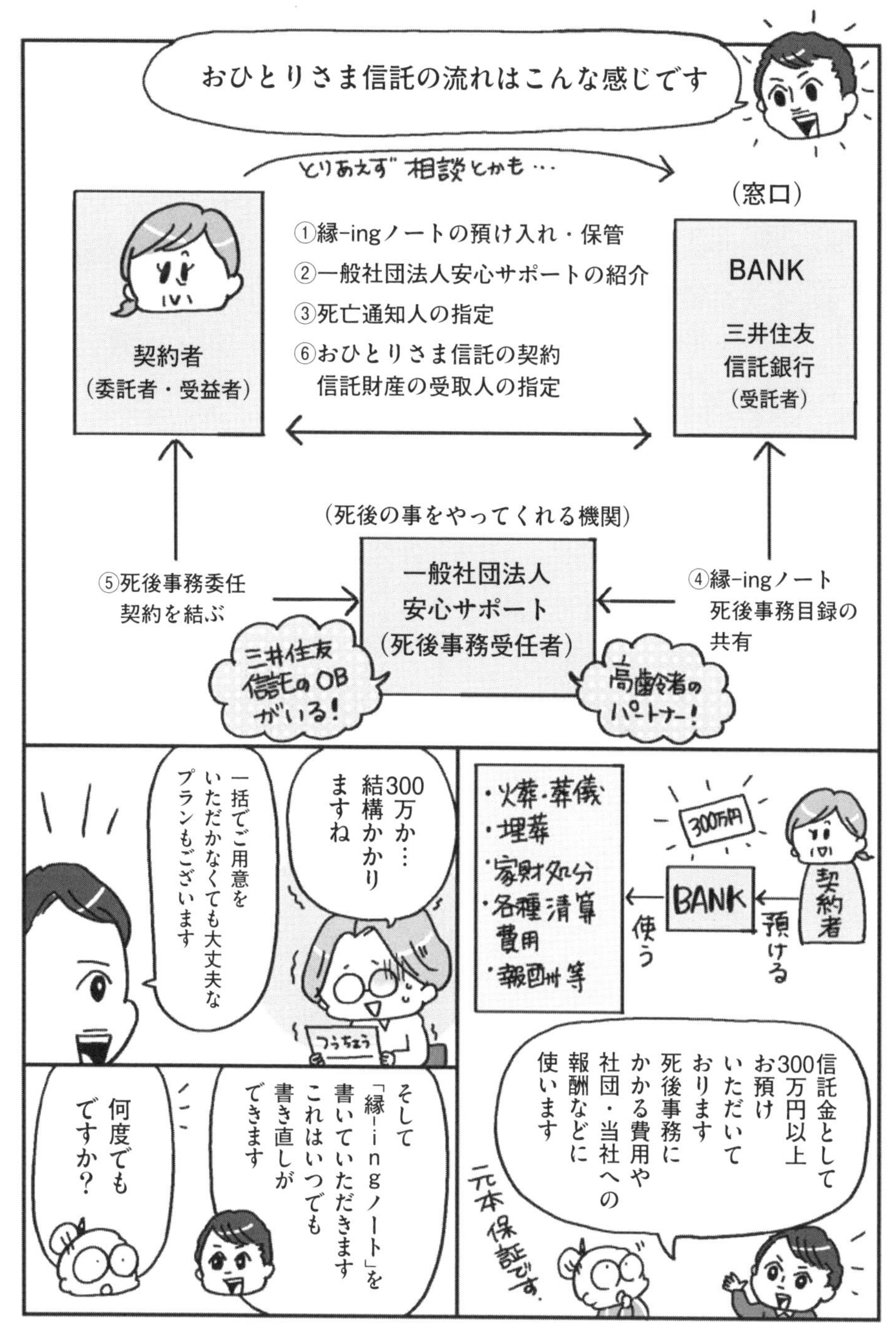

おひとりさま信託の流れはこんな感じです
とりあえず相談とかも…
（窓口）
契約者
（委託者・受益者）
①縁-ingノートの預け入れ・保管
②一般社団法人安心サポートの紹介
③死亡通知人の指定
⑥おひとりさま信託の契約
信託財産の受取人の指定
BANK
三井住友
信託銀行
（受託者）
（死後の事を やってくれる機関）
⑤死後事務委任
契約を結ぶ
一般社団法人
安心サポート
（死後事務受任者）
④縁-ingノート
死後事務目録の
共有
三井住友信託のOBがいる！
高齢者のパートナー！
・火葬・葬儀
・埋葬
・家財処分
・各種清算費用
・報酬等
300万円
BANK
使う
預ける
契約者
信託金として300万円以上お預けいただいております
死後事務にかかる費用や社団・当社への報酬などに使います
元本保証です。
300万か…結構かかりますね
一括でご用意いただかなくても大丈夫なプランもございます
つうちょう
そして「縁-ingノート」を書いていただきます
これはいつでも書き直しができます
何度でもですか？

はい、
何回でも
大丈夫です
決める事が
多いので、例えば最初は
一番気になる遺品や
ペットについて
後日、葬儀はこうしたい
という事を追加する
このような形で問題ありません
思いも
生きてる間に
変わったり
しますもんね
「未来の縁-ing
ノート」に
書いた内容は
スマホやパソコンで
見られるんです
よね
はい
内容はサイト内の「マイページ」から
いつでも確認する事ができます
もちろん、窓口に来ていただければ、
一緒に相談しながらこちらで
記入する事もできます
あの〜…
この「死亡通知人」って
いうのはなんですか？
①縁-ingノートの
②一般社団法人
③死亡通知人の
指定
「死亡通知人」とは
ご契約者様が亡くなられた後、
われわれとの窓口になる方。
三井住友
信託
安心
サポート
亡くなりました
よろしくお願いします
了解
です
こちらも
随時変更
可！
死亡
通知人
最後に当社と提携して
死後事務を取り仕切る
「社団」と
死後事務契約を
締結したら、
信託金を預けて
契約成立です

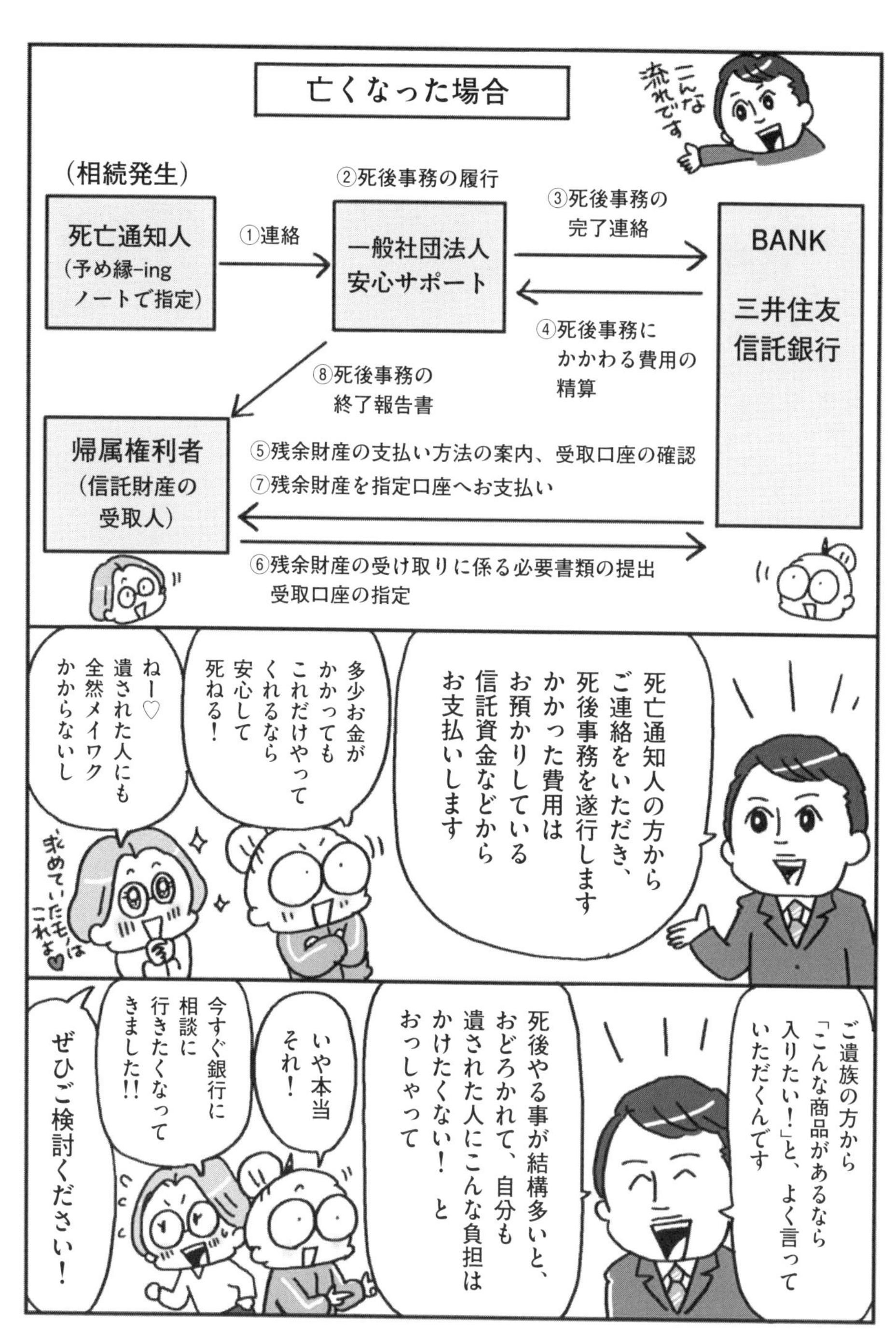
亡くなった場合
こんな流れです
（相続発生）
死亡通知人
（予め縁-ing
ノートで指定）
①連絡
②死後事務の履行
一般社団法人
安心サポート
③死後事務の
完了連絡
④死後事務に
かかわる費用の
精算
BANK
三井住友
信託銀行
⑧死後事務の
終了報告書
帰属権利者
（信託財産の
受取人）
⑤残余財産の支払い方法の案内、受取口座の確認
⑦残余財産を指定口座へお支払い
⑥残余財産の受け取りに係る必要書類の提出
受取口座の指定
死亡通知人の方からご連絡をいただき、死後事務を遂行しますかかった費用はお預かりしている信託資金などからお支払いします
多少お金がかかってもこれだけやってくれるなら安心して死ねる！
ねー♡遺された人にも全然メイワクかからないし
求めていたモノはこれよ♡
ご遺族の方から「こんな商品があるなら入りたい！」と、よく言っていただくんです
死後やる事が結構多いと、おどろかれて、自分も遺された人にこんな負担はかけたくない！とおっしゃって
いや本当それ！
今すぐ銀行に相談に行きたくなってきました!!
ぜひご検討ください！

コラム
02

身内や専門家、自治体…頼れる人や場所はいろいろ！

さまざまな人の手が必要な終活は、早めに頼れる人を見つけておく事が大切。ひとり暮らしが心配というタイミングから結べる契約もあります。周りの知り合いだけでなく、自治体の終活支援や民間企業の信託商品も。

誰にどこまで頼めるか早めに相談を

1章で説明したおひとりさまの四大困り事が実際に起こったら、誰に頼ればよいのでしょうか。実際に頼れる人は、親せきや友人、知人などのほか、弁護士、司法書士、行政書士、税理士、ファイナンシャルプランナー、終活アドバイザーといった専門家、金融機関や自治体、地域包括支援センター、社会福祉協議会、民生委員など地域の施設やその担当者、いろいろな人がいます。

誰にどこまで頼めるか、今のうちから相談しておきましょう。もちろん友人同士で頼り合うのもよいですが、できれば若い人のほうがベター。同世代だと、自分と同じように年をとっていき、終活の助けがともに必要になるからです。
　専門家であれば契約を結ぶ必要があります。親しい人でも、金融機関などの事は契約が必要です。親せきや友人、知人など頼れる人と契約しておくといいでしょう。
　契約の種類は、生前のために「見守り契約」「(財産管理等) 委任契約」「任意後見契約」、死後のために「死後事務委任契約」「公正証書遺言」など。一般的な契約書でOKのものと公正証書の作成が必要なものがあります。ただし公正証書の作成が不要でも、公正証書の方が契約の信頼性が高まります。専門家に依頼する場合契約書の作成料や実行援助費用のほか、公正証書を作成するならその手数料も必要になります。
「見守り契約」とは、判断能力は低下していないけれど、ひとり暮らしで何かあったら気づいてもらいたいという時に交わす契約。専門家や事業者と契約すると、契約書作成時の費用のほか、月に1回の電話連絡や定期訪問などの実行援助費用がかかります。
「(財産管理等) 委任契約」とは、判断能力はあるけれど、身体能力が低下していて財産管理を頼みたい時の契約。一方、「任意後見契約」は、あらかじめ後見人になってくれる人 (受任者) と、将来、認知症で判断能力が不十分になった時に財産管理や身上監護を本人の代わりに行ってもらうために契約します。判断力が衰える前なら本人が「任意後見人」を選んで、契約できますが、判断力が衰えた後だと家庭裁判所によって「法定後見人」が選任されます。
　任意後見契約は、必ず公正証書で行います。契約を結んでおいて、本人の判断能力が不十分になった時に、受任者や親族などが、家庭裁判所に申し立てます。その際に、家庭裁判所が任意後見人を監督する「任意後見監

生前・死後のために必要な契約

	契約	内容	公正証書作成の要不要	専門家にかかる費用	公正証書の作成料
生前	見守り契約	病気や事故、孤独死などに気づいてもらいたい時に、連絡や面談などで見守ってもらう	不要	契約書の作成料…2万～5万円 実行援助費用…1万円～／月	一般的な内容なら1万1,000円程度
生前	（財産管理等）委任契約	身体能力が低下した時に財産管理や見守りをしてもらう	不要	契約書の作成料…3万円程度 実行援助費用…1万円～／月	一般的な内容なら1万1,000円程度
生前	任意後見契約	認知症になった後に財産管理や医療契約、施設への入所契約など身上に関する事を代理で手続きしてもらう	必要	文案作成費用…5万円程度 任意後見人の報酬…財産管理の金額による 任意後見監督人の報酬…家庭裁判所が事案に応じて決定	公正証書作成手数料1万1,000円のほか、収入印紙代や登記嘱託手数料、書留郵便料、正本謄本の作成手数料など合計約2万円
死後	死後事務委任契約	自分の死後、医療費や家賃、施設利用料などの支払いの事務、葬儀や火葬、納骨、埋葬の事務、行政官庁等への届け出事務などを代理でしてもらう	不要	契約書の作成料…10～20万円 死後事務委任の報酬… 50～100万円 預託金…100～150万円	公証人手数料1万1,000円のほか、謄本手数料などを合わせて1万4,000円程度
死後	公正証書遺言	財産をどう残すかについて指定する	必要	文案作成費用…7万～20万円	財産の価額で異なる作成手数料のほか、書類の取得費用などもかかる

督人」を選任し、そこで初めて任意後見契約の効力が発生し、受任者は任意後見人として仕事ができる事になります。

「死後事務委任契約」とは、文字通り自分が亡くなった後の事務を第三者に任せる事。相続人や親族であれば問題なくできますが、それ以外は、契約が必要。友人や知人のほか、司法書士や行政書士など専門家に依頼できます。また代行で行う事業者もあります。死後事務委任契約を締結する際は、死後の事務処理のために「預託金」としてまとまった費用を受任者に預けておく場合もあります。もし友人や知人に頼む場合は、契約書や遺言書に費用を払う事を書いておき、ビジネスライクにお願いしておくとよいでしょう。

おひとりさまが亡くなった後、自分が望む人や団体に財産を残すために「遺言書」を書いておくとよいでしょう。公証役場で「公正証書遺言」を作成しておけば、確実に自分の望む形が実現できるでしょう。

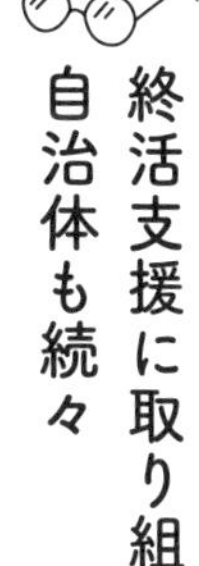

終活支援に取り組む自治体も続々

自治体も頼りになる存在です。なかでも70歳を過ぎたら、ぜひ足を運んでほしいのが「地域包括支援センター」。いわゆる高齢者の介護や見守りを支援する総合案内窓口です。

もともと国は、２０２５年を目標に高齢者が自宅で介護や医療のサービスを受けられる「地域包括ケアシステム」を整備してきました。地域包括支援センターは、その一環。その他、生活支援や介護予防もサポートしています。こうした地域包括ケアに力を入れている自治体もありますが、終活支援に力を入れている自治体もあります。そもそも墓地埋葬法第９条では、引き取り手のない遺体は自治体の費用で、火葬（または土葬）すると定められています。マンガでもご紹介した横須賀市は、行政による終活支援の先駆け的存在。葬儀や納骨の相談や安否確認の訪問などを行う「エンディングプラン・サポート事業」、緊急連絡先や遺言の保管場所などの終活情報を登録し、いざという時に市が代理で問い合わせに答える「終活情報登録伝達事業」の２本柱を実施しています。横須賀市をモデルに終活支援を整える自治体も増えつつありま

終活支援を行う自治体

兵庫県高砂市
葬儀や納骨について葬祭事業者と行った生前契約の契約履行をサポートする「エンディングプラン・サポート事業」を実施。

大分県杵築市
「きつき終活応援プロジェクト」では、「きつき ネバーエンディングノート」の作成、配布のほか、終活川柳を募り「川柳集」を発行。

神奈川県横須賀市
「エンディングプラン・サポート事業」「終活情報登録伝達事業」のふたつを全国に先駆けて行った終活サポートのパイオニア。

神奈川県大和市
「おひとり様などの終活支援事業」を実施。大和市終活支援条例をもとに、終活相談を受ける「わたしの終活コンシェルジュ」なども。

東京都豊島区
「豊島区終活あんしんセンター」では相談に応じた情報提供を行う。「終活情報登録事業」「住まいの終活相談サービス」も。

東京都武蔵野市
「エンディング相談支援」のほか、「エンディングノート」の配布、ノートの書き方のポイントを解説する「出前講座」など。

千葉県千葉市
「エンディングサポート（終活支援）事業」を実施。「あんしんケアセンター」では専門家と連携をとりながら悩みに対応する。

静岡県熱海市
「熱海市終活支援事業あんしん」を実施。協力葬儀社との埋火葬についての生前契約と死後の契約履行を、自治体がサポートする。

愛知県岡崎市
「終活ノート」「終活便利帳」の配布、「出前講座」では、「終活スゴロク」「おかざきゴールデンシニア人生ゲーム」を楽しめる。

岐阜県飛騨市
「飛騨市終活支援センター」では、市民の生前準備支援のほか、死亡届提出後、遺族を支援する「おくやみワンストップ窓口」も設置。

※2023年12月現在

す。またエンディングノートを作成、配布している自治体も数多くあります。お住まいの自治体の支援内容をぜひ調べてみましょう。

死後の面倒をまとめて任せられる信託

行政に頼れない場合は、民間に頼る事ができます。そのひとつが三井住友信託銀行の「おひとりさま信託」。事前に料金を預けておく事で、葬儀や埋葬、デジタル遺品や家財などの整理、訃報連絡など、さまざまな死後事務をまとめて依頼できる死後事務委任契約です。実際の契約は、一般社団法人安心サポートと結び、契約時は「未来の縁-ing（エンディング）ノート」を作成し、三井住友銀行が電子媒体で管理します。亡くなったら通知人から安心サポートに連絡が行き、縁-ingノートをもとに指定された死後事務を行ってもらえます。

左の表の通り、委任する内容によって費用金額が異なるため、おひとりさま信託の残高の範囲内から支払われるように準備しておきます。余ったお金は、指定した帰属権利者に払われます。ややこしい死後事務をまとめて頼める信託は「周りに迷惑をかけたくない」とおひとりさまでない人からも人気だとか。

「おひとりさま信託」の死後事務にかかる費用

項目	例	費用の目安（税別）
火葬・通夜・告別式等	火葬のみ（直葬）	約30万円
	家族葬・一日葬（参列者20名以下の小規模葬）	約80万円
埋葬・永代供養等	永代供養（合祀墓）	約20万円
	樹木葬（合祀の一例）	約30万円
	海洋散骨（代理散骨）	約20万円
家財の処分・整理	標準的なマンション 2LDKの部屋	約20万円（処分物15～20㎥の費用）
デジタル遺品の削除・解約		約3万円
形見分け	受取人への配達料	約10万円
ペット搬送	「託し先」への搬送のみ	約10万円
各種精算額	クレジットカード、公共料金、入院未払費など	約50万円

※葬儀や埋葬は一般社団法人安心サポートの提携先の一例。地域で金額は異なり、別途、火葬場使用料などが必要となる場合がある。宗教者への謝礼などは含まれない。※処分は、量によって費用は変動する。別途、人件費などが必要となる場合がある。※形見分けは受取人が立ち会えるなら費用はかからない。

3章

死んだ後、私はどこに行くの？

尾上正幸（おのうえ まさゆき）

株式会社ニチリョク常務取締役。東京を中心に首都圏にて広域で対応する葬儀社に勤務し、あらゆる人生の終焉に立ち会う。お葬式の事前事後のサポートを目的に、自分史、終活を含めたテーマでセミナーや勉強会等の活動を行っている。

おひとりさまのお葬式

カルパッチョ 750円
ハムカツ 500円
ささみフライ 500円
メンチカツ 450円
マグロカツ 700円
カンパーイ!!
そうそう！私思ったんですけどね
トン
人生で主役になれるのは誕生・結婚そしてお葬式の３回って言われてるんですけど〜
おひとりさまのお葬式は主役どころか、それを開催してくれる人がいないかもですよね〜（笑）
…ね？
…
私はみんなに感謝の思いを伝えて明るくお別れしたいな〜
そういうのってどうしたらいいのかね？
なとみさんっ!!
!?
ガシ!!
これは話聞きに行かないとですねっ!!

一般葬	・お通夜と葬儀・告別式 ・参列者は親族と知人・友人、地域や仕事の関係者
家族葬	・お通夜と葬儀・告別式もしくは葬儀・告別式のみ ・参列者は親族や一部の知人・友人
直葬（ちょくそう）・火葬式	・納棺後すぐ火葬。 ・参列者はごく近い親族のみ。

わかる〜
経験すると自分に重ねちゃって「自分の時はどうなるんだろう?」って色々考えるようになりますよね
そーなの! そーなの!
みなさまの最後に関わるお仕事ですので、その方の人生を垣間見る機会が多いのですが
みなさん本当にドラマチックな人生で…中でも印象深かったのが
彼女はAさん 末期がんで 余命宣告1週間
元舞台俳優で とてもキレイな方でした そんな彼女に呼ばれ 病床に伺ったのです
現役時代のお写真もたくさん見せていただきました
キレイだなー
ん
ふとベッドサイドに目をやると
ある韓流歌手の写真がたくさん

もしかして
Aさん、この方のファンなんですか？
と、たずねたら
はい
実は大ファンでして（笑）
本当に大好きなんです
……
私は、結婚する事に憧れてたけど結局叶わず、今でも独身
しかも父ひとり残して私が先に逝く事になるなんて……
※お父さまは施設に入所中
それでも今までたくさんの方に支えられてここまできたので、密葬ではなく、ちゃんとお別れしたいんです
はい お任せください

何度も相談を重ね、最後は
ウエディングドレスのような白い衣装を
まとって、たくさんのお花で囲み
お送りする事にしました。
会場の入口にAさんの
等身大パネルを置いて、
みなさまを笑顔でお出むかえします。
現役時代の写真も
たくさん飾ります。
思い出のコーナーを作って、
大切な方々との写真や、
贈り物、そして
大好きなあの韓流歌手の
写真も飾りましょう！
このプランをAさんは
とても喜んで
くださって…

Aさんが旅立たれ、Aさんの古くからのご友人方と会場の飾り付けをしている時
Aさん、この歌手の事本当に好きだったんですね
大好きな韓流
推しコーナ
ああ…実はそうじゃないんですよ
と、言ったら
昔、彼女ねこの歌手によく似た男性と大恋愛したんです
でも事情があって結婚できなくなって
それ以来、この歌手を追いかけるようになったんです
大好きなんです…
…Aさん
すると奇跡が起こったんです
ずっと音信不通だった、Aさんの大恋愛したお相手が会場に駆けつけてくれたんです。
ごぶさたしてます
!!
ご友人の皆様
そう然!!
私たちはそっと別室に移りました
久方ぶりの2人だけの時間です。
Aさん嬉しかっただろうなぁ

だーーっ…
なにそれ！
リアル韓流ドラマ？
カンドーしました!!
尾上さん、
ぐっじょぶ!!
ブーッ
ね、すごいでしょ？
こういう形でAさんの
最後に関われて
良かったなぁ〜
って思って
本当に学びの多い
お仕事のひとつでした
…その一方で
お金は払うから親の
終末期から葬儀までの
面倒を見てほしいという
ご依頼もあります
…
フン－
家族な故に憎しみあったり…
いろんなドラマが
ご家族ごとにあって…
これは悪いとか、良いとか
そういう問題じゃ
ないんですけど
うちの※ばあさんが
亡くなった時の話ですけど
自分が
亡くなった時
100万円おりる
保険に入ってて
お式は一番
安いのでいいから
残ったお金は
使ってね
と、いつも言ってて
ばあさん
※ばあさん＝同居していた姑
ばあさんが亡くなった時
ネットで調べたお得な家族葬を
ダンナが申し込んだら
…え？
お花これだけ？
全体的に
さびしいね…
びっくりして
プラン
葬儀屋

このプランでも
きちんと送ってあげられるし、
ばあさんも望んでいたんだけど
いや…でも
これってなんか違う…
こんな感じじゃなくて
もっと、ばあさんらしいお葬式に
したい！ って言ったら
やりたい事
全力でサポート
しますよ！
葬儀屋
って言ってくれて（笑）
じゃあ最後だから
ドーン！とやろう！ って
事になって（笑）
当日はばあさんが大好きな
11人の最強メンバーが集結！
食事をしながらばあさんの
思い出話に大盛り上がり
メニューはすべてばあさんの好物
ばあさんの好きな
美空ひばりが流れる
すぐ隣に
ばあさん
娘のダンナ
娘
孫
孫
妹
姪
私
息子
孫
親友
姪
結局100万円以上かかっちゃったけど
ばあさんのお金だし、
ま、いっか（笑）
それよりも
いいお式で
送ってあげられ
たな～って
ばあさんに対する
後悔とか感謝の
気持ちが少しは
返せたかなぁって
大満足です
まあ
自己マン
ですけど…
葬儀は誰のために
何のためにやるのか？
以前そんな質問を
されたんですが
それは遺された方々の
心の癒やしのためにやるんだと
思いますよ
だからいいんです
自己マンで

…でも すてきな お葬式を企画 したとしても
どよん…
「誰に託せるか問題」が われわれおひとりさまには あるんですよ…
僕たち葬儀社でも 叶えますよ
えっ!? そうなん ですか?
ぱあああああ
はい! そのためには葬儀社と ご本人とで「死後事務契約」を 結ぶ事が必要です
これを結んでおけば 死後の事務手続き一切を 葬儀社に任せる事が できるんです
じゃあ 「すてきな お葬式」も?
我々が開催します ので安心してください
ただ、実際ご葬儀を する時って 契約者の方がお亡くなりに なってますから
「ご希望をちゃんと 実行しましたよ」って 僕たちを監視して 見届けてくれる方が いてくれた方が双方安心。
だから お話を聞く際は お友達とか ケースワーカーさんとか どなたかに立ち会って もらうように しています。
立ち会う人は 法律家の先生でも いいけど結構お金が かかるので身近な 人がよいと思います
本当にに やってくれるの? 確かめようが ないじゃん。 私 死んでるし…
まかせろ! 私が最後まで 見届けるから!!
友人
わーーい!! これで安心して 死ねるーー!!

じゃあ立会人だけ探しておけばいいのね
ねー！今から誰かに頼んでおこうかな～
安心したわ～
うちの父が自分のお葬式を決めて亡くなったんですが、香典返しとか棺桶の等級とか遺族がやる事もいっぱいあって…そういうのも全部自分で決めておけるんですか？
!!
はい決めておけますよ！
あの～お香典返しって必要なんですかね？
そもそもお香典返しって
志
○○家
お香典をもらうから必要になってくるんです。
お香典はいりません！
にしてもいいいし
香典
全額寄附
「全額寄付します！」って宣言しちゃってもいい。
全部なしで礼状だけつけてご本人のメッセージで終わってもいいんです。
お世話になりました！みんな、またね！Kより
なるほど
私はお世話になった人たちに感謝の言葉を伝えたいし、笑顔で送ってほしいです
メモ
いいですねーどんどん「自分らしさ」を追求されるといいと思います！

さっきお話しした「ウエディングドレス」のAさんのように自分がやりたいようにやっていいと思うんです自分のお葬式ですからもう自由で！
そうですよね！だって人生で主役になれるのは誕生・結婚そして…
お葬式!!
実はこの前遺影用の最高の写真撮ってきたんですしかもオスカ○で
えーっ!!そうなの!?
メイクも衣装もバッチリの４枚(笑)
これ遺影で使ってね！絶対!!
え〜これ？喪主オレなんだけど
息子
お葬式でその４枚が飾ってあったら
どーーん!
大爆笑まちがいなし!!
あっはっはっはっ!
みんなにはそういう私を覚えておいてほしいんです
そーそーなとみってこういう人だったよね！
あいつ最後までやってくれるよなー

オスカ○の遺影ブロマイドにしてお礼状に入れちゃうとかサイン入りで！
あ！ いいね！ 採用！
じゃあそのオスカ○の写真も等身大パネルにして飾っちゃうっていうのは？
それもいい！ はい、採用！
じゃあじゃあ、隣にアンド○も作って顔ハメにして記念写真撮れるってどう!?
めっちゃいい採用!!
…っていうか今話してんのお葬式の話だよね
なんか結婚式とか文化祭の話してるみたい♡
ワクワクしますね
お葬式の話でこんなに盛り上がるとは思わなかった
メチャクチャ楽しい～♡
やっぱり私も「自分らしさ」追求しようかなぁ♡
こうやってわいわい誰かとお葬式の話をすればいいと思います
終活おもいっきり楽しみましょう！
全力で協力しますす！

私たちのお墓の行く末

あと終活で気になってるのがお墓!
私も気になります〜
おひとりさまに人気の樹木葬とかもいいいな〜なんて思っております♡
なとみみわ ここに眠る
樹木葬ってかなり定義あいまいなんです
大自然の木の下にお骨を収めて「土に還る」みたいなイメージですが、そういう樹木葬って僕が知る限り国内で3つぐらいしかないんです
えっ! それ以外の樹木葬なんてあるんですか?
大体の「樹木葬」はお寺の墓地の中にまとまったお骨が納まる区画を作りモニュメントとなる木を植える、と、いったタイプが多いです
墓地の区画
桜とか
お墓たち
※イメージ図
これって樹木葬という名の「合祀墓」なんです いくつかのお骨が一緒に埋葬されています

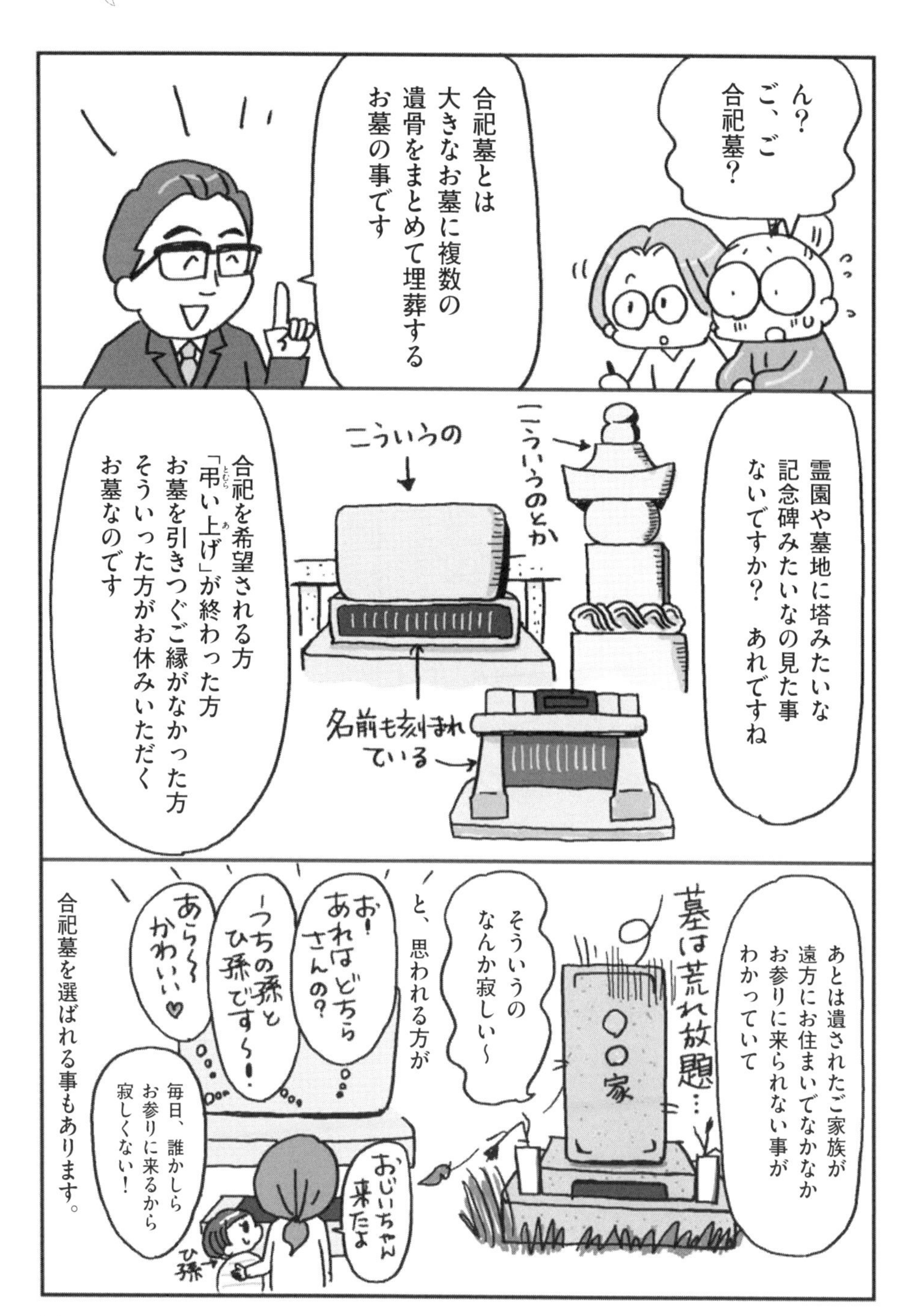
ん？
ご、ご
合祀墓？
合祀墓とは
大きなお墓に複数の
遺骨をまとめて埋葬する
お墓の事です
霊園や墓地に塔みたいな
記念碑みたいなの見た事
ないですか？　あれですね
こういうのとか
こういうの
名前も刻まれている
合祀を希望される方
「弔い上げ」が終わった方
お墓を引きつぐご縁がなかった方
そういった方がお休みいただく
お墓なのです
あとは遺されたご家族が
遠方にお住まいでなかなか
お参りに来られない事が
わかっていて
墓は荒れ放題…
○○家
そういうの
なんか寂しい～
と、思われる方が
お！
あれはどちら
さんの？
うちの孫と
ひ孫ですぅ～！
あら～
かわいい♡
おじいちゃん
来たよ
ひ孫
毎日、誰かしら
お参りに来るから
寂しくない！
合祀墓を選ばれる事もあります。

へ〜
なんか合祀墓も
いいですね♡
シェアハウス
みたいだね
あ、あの
弔い上げって
なんですか?
お墓のお骨を入れる
スペースには限りがありまして
新しいお骨を入れるため
新
パンパン
供養が
終わった
3・4世代
前の
お骨を
合祀墓に。
合祀墓
合祀墓にて
お寺が永代に
わたって供養する、
という事です
中には合祀墓に入れず
海洋散骨される方もいます。
パサァァ
(※イメージです)
ライフスタイルの
変化に合わせて
お墓のスタイルも
変化してきている
という事
でしょうね
ちなみにお墓って
「先祖代々」ってよく言います
けど、お墓を継承してくれる
なら継承者の名前(氏)が
違っても全然問題ないんです
えっ!?
そうなん
ですか!?
はい!
お墓が無縁になってしまうよりは、
守ってくれる人がいた方が安心♡
そういう方は
ありがとう〜
来月も
くるね
墓
あらかじめお寺様に
「この方が引き継ぎます」
と、伝えておく事もできます。

じゃあ
おい
や
めい
や
友人
に
お願いしてもいいんですか？
はい、ただお友達だと なとみさんの事を守るのは いいけど、お母様・お父様 おじいちゃん・おばあちゃん とかはどうなの？？ って なるのでなかなか難しいかと
まとめて 頼むよ
友人
祖父
祖母
父
よろしく～
…そうなるとやはり
墓じまいも考えるべきなのかな～
そーですね
墓じまいは墓をしまう事が目的ではなく――
こういう目的があるから墓じまいするという考え方の方が正しいんです
例えば
今月も墓参りに行けなかった… せめてもう少しお墓が近くにあったらなぁ～
ごめんよ父さん母さん
つっっ
と、悩んでいる方が
住んでいる町の近くにお墓を購入したぞ！
これでいっぱい会いに行ける!!
墓
という場合は、今のお墓を「墓じまい」して、お骨を移す「改葬」ができます。

反対に遠い郷里にある
先祖代々のお墓を
引き継いだ方が
もう誰が入っているのやら…
之墓
この先もずっと
私が供養して
いかなきゃいけないの？
つ、つらい!!
と、悩んでいるのなら
お骨は合祀墓に入れるなり
なんなりして
墓じまいするのがいいと思います。
今あるお墓について
悩まれているのであれば
「墓じまい」すべきです
たしかに、
そうですよね
ちなみに
墓じまいせずに
最後自分が
入って供養
してくれる人が
いなくなったら
どうなるんで
しょう？
無縁仏って
こと!?
継承者がいないお墓として、
告示、公告が出され、
やはり引き継ぐ方が現れない場合
無縁仏として
合祀墓に移動します。
このお墓に
ご縁がある方
ご連絡ください
現れ
ませんね～
之墓
継承者がいる・いないって
調べられるんですか？
はい、カンタンに調べられます
お寺の場合は1年に1回
「護持会費」という
お墓の維持費を払います
護持会費

公営霊園などは
「管理費」ですね。
そういった料金が滞ると
お墓を
引き継がれる
人がいなく
なったのか？
もしかしたら
なにか事情が
あるのかも…
連絡してみよう
お墓を管理してる人
霊園
このお墓に
ご縁のある方
ご連絡ください
○○○○-○○○○
電話連絡をしたり
お墓のそばに
告示を出したりします。
それでも連絡が取れない
場合は、取り決めに沿って
更地に戻して
お骨は
合祀墓に
移されます。
骨
管理契約の
中では大体
「1年間全く
所在がわから
ない場合」と
ありますが、
3年ぐらい
待ってくれたり
しますよ
霊園と
交わした書面を
確認してみると
いいでしょう
結構待って
くれるんですね
最悪
…無縁仏に
なっちゃっても
合祀墓に入れて
もらえるのね…
少し安心！
でも無縁仏に
ならないようにしないと
いい
質問です！
よくお墓の募集
広告で
「永代供養」って
見かけますが
あれはずっと
供養してくれるん
ですか？
はい。
永代供養とは
永代にわたって
お寺が
「永遠に供養
しますよ」
という事です
あんしんの
永代供養墓
「お墓」と「永代供養」
セット！

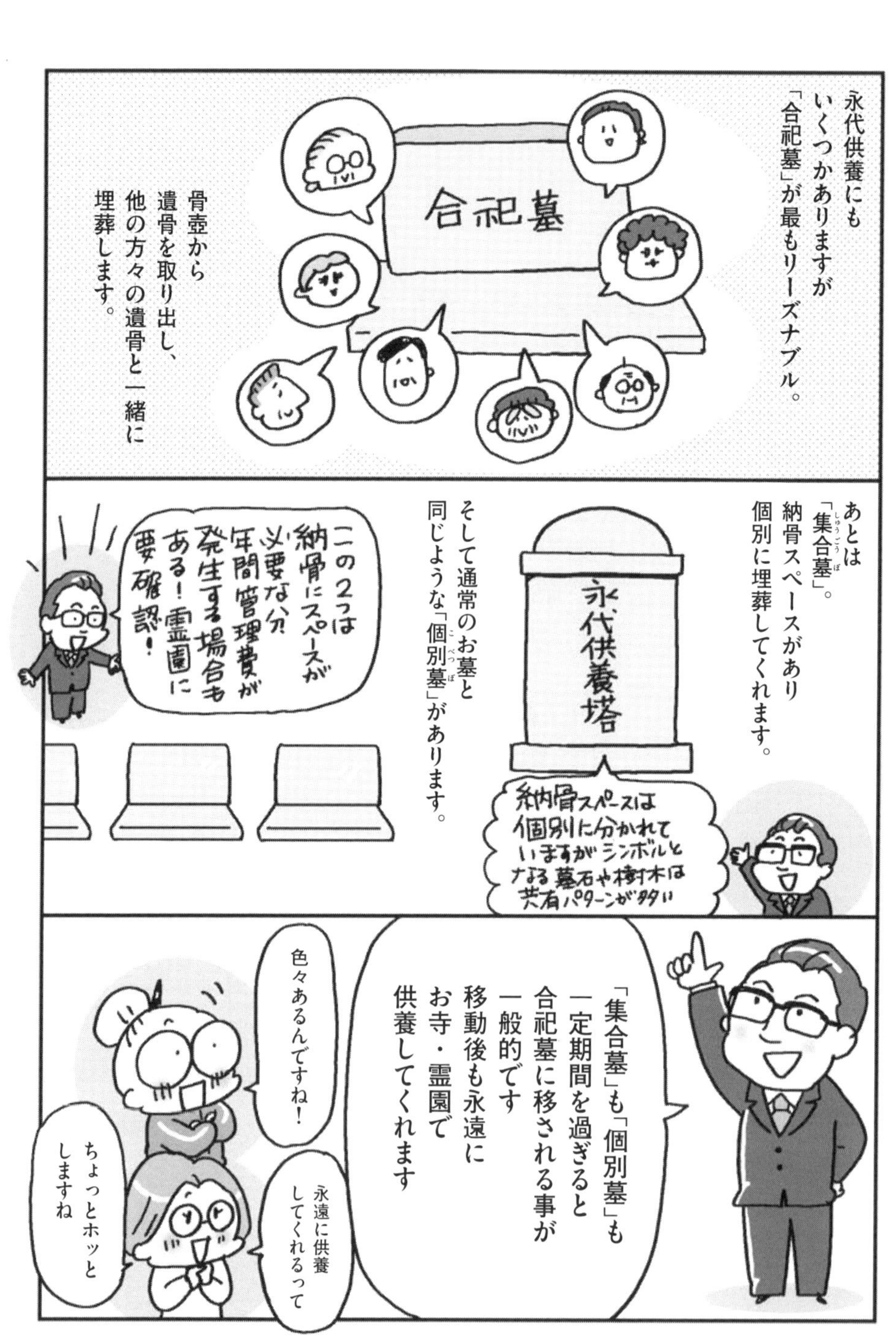
永代供養にもいくつかありますが「合祀墓」が最もリーズナブル。
合祀墓
骨壺から遺骨を取り出し、他の方々の遺骨と一緒に埋葬します。
あとは「集合墓(しゅうごうぼ)」。納骨スペースがあり個別に埋葬してくれます。
永代供養塔
納骨スペースは個別に分かれていますがシンボルとなる墓石や樹木は共有パターンが多い
そして通常のお墓と同じような「個別墓(こべつぼ)」があります。
この2つは納骨にスペースが必要な分年間管理費が発生する場合もある！霊園に要確認！
「集合墓」も「個別墓」も一定期間を過ぎると合祀墓に移される事が一般的です移動後も永遠にお寺・霊園で供養してくれます
色々あるんですね！
永遠に供養してくれるって
ちょっとホッとしますね

永代供養のメリット
・初期費用が安い
・遺族や子孫に金銭的負担がかからない
・無縁仏にならない
永代供養のデメリット
・合祀墓に入ると他の方の遺骨と一緒になるので取り出し不可能
・昔ながらの形式を重んじる親戚からの理解を得にくい等々…
お墓の維持費や管理費お布施もない
お寺や霊園でずっと管理供養してくれる
メリット・デメリット双方ありますので比較しながら検討してみてはいかがでしょう
こうやって見るとおひとりさまには安心な気がしてきました
永代供養もありだわ〜
メモ
ご自身のけじめとして墓じまいされる方もいらっしゃいます
おひとりさまのBさんご両親は他界
父
母
僕が以前お手伝いしたBさんのお話です。
ご両親のお骨を霊園から、ご自分がお参りしやすい納骨堂に移されました。
霊園
父
母
改葬
納骨堂
そこの納骨堂には自分も入る予定にして
最終的には合祀墓に移動する約束があり
父
母
Bさん
これなら安心！この納骨堂に決めた！
それで決められたそうです。ご両親より前の世代はすべて
さようならすこやかに
海洋散骨。

…全部海洋散骨に？
すごい決断をしましたね…
もうきっぱりとやられて僕もたくましいなぁと思いました
あの～個人的な質問なんですけど以前飼い猫が亡くなった時
一緒のお墓に入りたい!!
と思って探したんですけど、なかなかいいところが見つからなくて…ペットと一緒にお墓に入るって難しいですか？
ペットと一緒に入れるお墓は元々数が少ないうえに人気ですからね
僕、ペットオーナーの思いを遂げるのにこのやり方がいいなぁと思っているのがあって
ペットの遺骨を
自分の棺に入れて火葬
一緒に埋葬してもらう
ペット
自分の棺
自分とペットの骨
ずっと一緒

やだ！それいい♡
ね！最高♡
それって法律的に問題はないんですか？
もう全然問題ないです！
燃えにくいものや樹脂や化学製品など、入れてはいけないものはありますが、お骨ですから
骨袋に入れて
自分が亡くなった時お花と一緒に棺に入れてねと、伝えておくといいですよ
うちにも14歳になる犬がいて、とにかく「元気で長生き！」を目標なんですけど
愛犬を看取ったらお骨は手元において私が亡くなったら棺に入れてもらおうと思っていたんで
お話聞けて安心しました！
私もそうしよう♪

お墓のお話も
聞けて良かったです
安心したし、死ぬのが少し
怖くなくなりました
うちの実家の
お墓は父が
亡くなった時に
購入したので、
今は父だけですが、
そのうちに
母も入ります
父
母
私も離婚して
旧姓に戻ったし、
父と母の
お墓に入れて
もらおーっと
って姉に話したら
ずるいー！ あたしも
みんなとその墓に
入りたいー！
姉
って言い出して（笑）
じゃあもうみんなで
入っちゃおうよ！ って事になり
久しぶりの
家族4人暮らし
in お墓
なんか…ちょっと
今から楽しみなんです
いいですね
それ！
うん！
いい！
えー

お葬式の時もそうだったけど
お墓の事もこうやって
みんなで話すと楽しいね
はい！
私は
「葬式」
「お墓」って
聞くだけで
少し
ネガティブに
感じて
不安だったん
ですけど
今日は「お葬式」「お墓」が
身近になって少し
不安が減った気がします
やはり知らないと
不安になりますよね
こうやって「お葬式」や「お墓」の事を
色々調べて知っていくうちに
「自分らしさ」が見えて
くるのかと思います
最後の
自分らしさ探し
楽しんでくださいね！
はい！
最後は
家族揃って
合祀墓って
いうのも
いいよね～
わんこ1匹
増えますよ
大所帯ですね

コラム 03

お葬式やお墓は事前準備がすべて！ 信頼できる人に託して

もしも自分が亡くなったら、どんなお葬式をしてほしいか、どこのお墓に入るのか、今のうちから考えておくと、これからの人生を安心して過ごせます。ニチリョクの尾上正幸さんに、おひとりさまがお葬式やお墓について考えるときのポイントを教えてもらいました。

自分らしいお葬式の形を考えてみましょう

まずお葬式の事。お葬式は「一般葬」「家族葬」「直葬（火葬）」の3パターン。通夜や葬儀、告別式をせず、火葬のみの「直葬」が最もシンプルで、費用は20万前後。参列者もごく近親者のみです。「家族葬」は、通夜や葬儀、告別式を行います。それらにかかる費用が加算されて80~100万円、参列者は5~30人程度。近親者以外に近所や職場の人たちも参列する一般葬は、家族葬と同様のスタイルですが、参列者の人数によって費用が変わります。一般的には130万~180万円です。コロナ禍以降、家族葬が増加。また直葬も倍増しています。

そもそも葬式の目的は「終生の区切り」で、自分自身の人生の集大成をあらわすものです。現代は「体の処理」＝火葬にとらわれがちですが、それだけでは遺された人の心や気持ちが整いません。「最低限、遺された人の心の整理を伴う供養は行う必要がある」と尾上さん。さらに「自分らしいお別れの形をすることが、遺された人のグリーフケアにもつながります」と言います。

ですから、おひとりさまの場合は、生前にどんなお葬式をしたいか、自分らしいお葬式とはどういった式か、ということをじっくり考えて、希望する葬儀内容や葬儀社をエンディングノートにまとめておきましょう。生前にお別れ会をするのも、おひとりさまらしい方法かもしれません。

死後事務委任契約（53ページ）をしておけば、親族や専門家だけでなく、友人や知人でも、安置から火葬、埋葬までできます。

お墓は維持管理の心配がないことが第一

火葬のあとは、遺骨を供養してもらうことになります。多くの人は埋葬を選びますが、散骨という方法も。どんな方法で供養してもらうか、あらかじめ考えておきましょう。

遺骨の供養の仕方は、大きくは「埋葬する」か「埋葬しない」かに分けられます。埋葬するなら「墓に入る」か「墓に入らない」かのどちらか。「墓に入る」場合は、先祖代々の墓か永代供養墓（えいたいくようぼ）に入ることになりますが、おひとりさまが墓を考えるときのポイントは「維持管理の心配がない」こと。

先祖代々の墓は、代々継承される慣習がありますが、継承する人がいなくなれば「無縁墓（むえんばか）」となって、他の無縁仏と合祀されます。ですから、もし先祖代々の墓があっても、自分の死後、継承する人がいなければ、自分の代で墓じまいを考えてみてもよいでしょう。

墓じまいとは、墓石から遺骨を取り出して、墓地や霊園の管理者に区画を戻す事。墓じまい後は、永代供養墓に移す、他の墓に移す「改葬」、散骨する、手元に残すといった方法で、引き続き管理や供養を行います。

永代供養墓とは、ひとつの墓石を墓標として、その下に不特定多数の遺骨を納める大型の合祀墓。供養や管理は、寺院や霊園が行います。自分の死後、永代供養墓に入る場合は、死後事務委任契約で、あらかじめその旨を委任しておきましょう。

また他の墓に移す「改葬」は、いわゆるお墓のお引っ越し。厚生労働省の報告によると、2000年前半は6~7万件だったのが、2017年度は10万件超え、2020年は11万7772件と増加傾向にあります。おひとりさまが移転先のお墓に入るつもりなら、生前に改葬しておく必要があります。

永代供養・改葬の手順

1 移転先に「受入証明書」を発行してもらう

永代供養墓や移転先の墓のある、墓地や霊園の管理者に「受入証明書」(墓地使用許可書)を発行してもらう。

2 「改葬許可申請書」を作成し申請

墓のある市区町村役場の「改葬許可申請書」に記入し、現在の管理者から発行してもらった「改葬許可承諾書(埋葬証明書)」を添えて、提出する。申請が認められると「改葬許可証」が発行される。

3 遺骨を取り出す

「改葬許可証」を現在の墓地や霊園に持参して、遺骨を取り出して受け取る。魂抜きや閉眼供養などを行う。

4 新たな墓に埋葬する

墓石を撤去し、土地を管理者に返す。取り出した遺骨は「改葬許可証」を添えて、永代供養墓や移転先の墓のある墓地や霊園に持参し、埋葬してもらう。

最近のトレンドは樹木葬

先祖代々の墓や永代供養墓などの「お墓に入らない」なら、シンボルツリーを墓標にして遺骨を埋葬する「樹木葬」という選択肢があります。樹木や草花を墓標として自然に還ることをうたう樹木葬は最近のトレンド。一般の墓に比べると費用が抑えられるうえ、永代供養もセットになっていて、墓を引き継ぐ人のいないおひとりさまにも人気です。ただし「本当に自然に還るというような里山の樹木の下への埋葬を許可された場所は非常に少なく、多くが霊園内に用意された合祀墓になりますので、見極めが必要」と尾上さんは話します。

「埋葬しない」なら、「納骨堂」に遺骨を納める、カプセルに入れた遺骨を宇宙に飛ばす「宇宙葬」、海や特定の陸地に遺骨を粉砕してまく「散骨」、自宅で供養する「手元供養」といった方法があります。なかでも20年前から注目されているのが、遺骨を粉状にして、海や特定の陸地にまく「散骨」です。そもそも陸地や河川等の散骨は法令上、禁止されています。自分の所有地であっても例外ではありません。海洋散骨についても、波打ち際はNG。専用業者の船舶で一定の海域まで移動してからの散骨になります。海洋散骨にかかる費用は、船チャーターで1隻30万円、乗り合いで1組2人で16万円、代行は6万円が相場です。散骨を希望するなら、厚生労働省のガイドラインをクリアしている事業者を選びましょう。

ただし、現在、死亡者数に対して、散骨の割合は0・1%程度。時代が変わっても、まだまだ墓標は遺された人にとって、手を合わせられるひとつのよりどころとなっているのかも知れません。

遺骨の供養の仕方

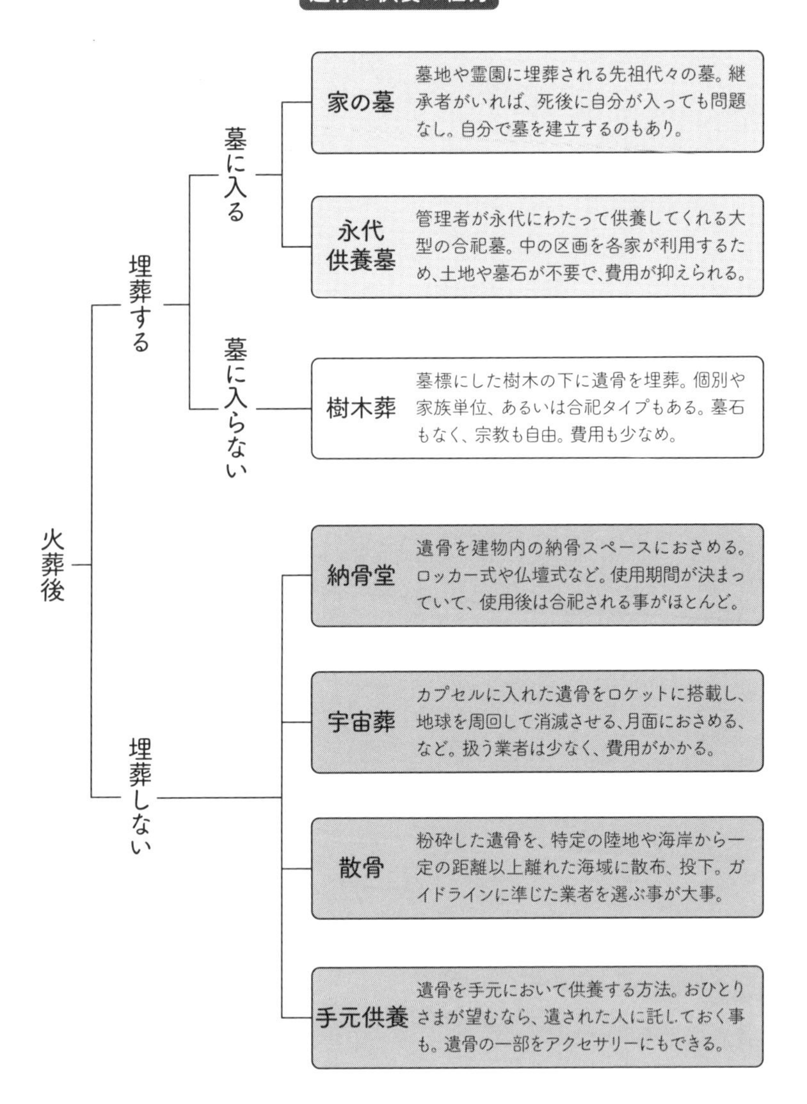
火葬後
埋葬する
墓に入る
家の墓
墓地や霊園に埋葬される先祖代々の墓。継承者がいれば、死後に自分が入っても問題なし。自分で墓を建立するのもあり。
永代供養墓
管理者が永代にわたって供養してくれる大型の合祀墓。中の区画を各家が利用するため、土地や墓石が不要で、費用が抑えられる。
墓に入らない
樹木葬
墓標にした樹木の下に遺骨を埋葬。個別や家族単位、あるいは合祀タイプもある。墓石もなく、宗教も自由。費用も少なめ。
埋葬しない
納骨堂
遺骨を建物内の納骨スペースにおさめる。ロッカー式や仏壇式など。使用期間が決まっていて、使用後は合祀される事がほとんど。
宇宙葬
カプセルに入れた遺骨をロケットに搭載し、地球を周回して消滅させる、月面におさめる、など。扱う業者は少なく、費用がかかる。
散骨
粉砕した遺骨を、特定の陸地や海岸から一定の距離以上離れた海域に散布、投下。ガイドラインに準じた業者を選ぶ事が大事。
手元供養
遺骨を手元において供養する方法。おひとりさまが望むなら、遺された人に託しておく事も。遺骨の一部をアクセサリーにもできる。

4章

私の財産どうしよう？

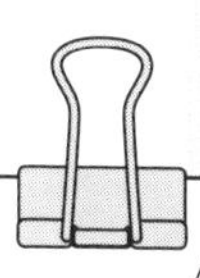

武田利之（たけだとしゆき）

税理士法人レガシィ・社員税理士。1993年大学卒業後、金融機関、個人会計事務所を経て2007年に税理士法人レガシィに入社。相続税の申告、相続対策のための贈与・売買、遺言作成コンサルティングなどの資産税業務に従事している。

誰が引き継ぐ？　相続問題

ズゥゥゥゥゥ…
…この前「犬神家の一族」を見たんですが、相続…恐ろしいですね…
ま、残すモノはなにもないけどさ急に不安になっちゃってさ
フッ…フフフフフ…
なんで観るかなぁ そういうの、ナーバスなお年頃なんだよ？ 私たち…
…でも相続か！
わ
……
わ
わ
よし！ では今回は、おひとりさまの相続についてくわしい税理士さんに聞きに行きましょう！
やったー！
と、いう事で！
こんにちは！ レガシイの武田です
おひとりさまに限らず誰がどれだけ相続できるかについては法律でがっちり決まっているんですよ！

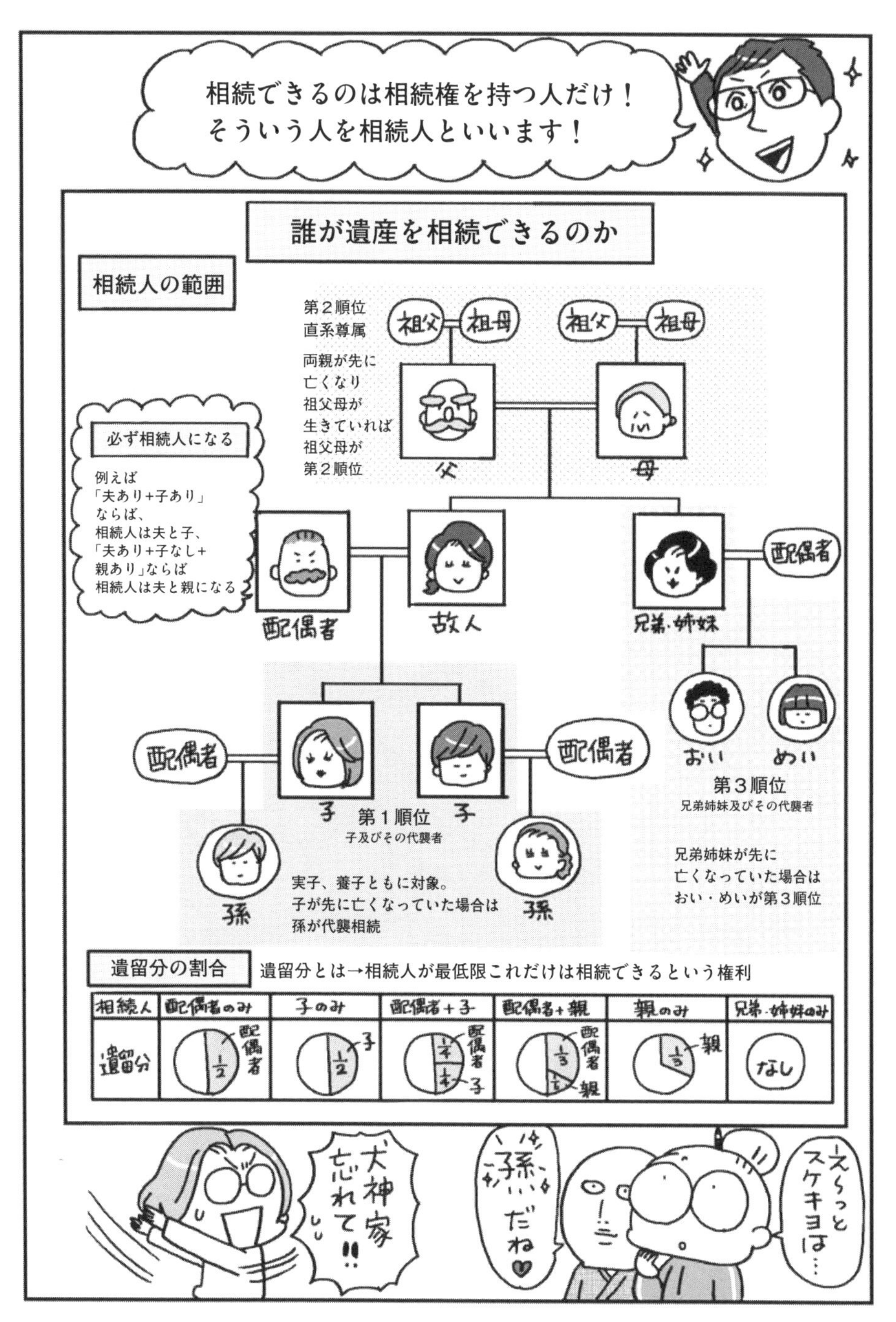
相続できるのは相続権を持つ人だけ！
そういう人を相続人といいます！
誰が遺産を相続できるのか
相続人の範囲
第２順位
直系尊属
両親が先に
亡くなり
祖父母が
生きていれば
祖父母が
第２順位
祖父
祖母
祖父
祖母
父
母
必ず相続人になる
例えば
「夫あり＋子あり」
ならば、
相続人は夫と子、
「夫あり＋子なし＋
親あり」ならば
相続人は夫と親になる
配偶者
故人
兄弟・姉妹
配偶者
配偶者
子
子
配偶者
おい
めい
第３順位
兄弟姉妹及びその代襲者
第１順位
子及びその代襲者
孫
孫
実子、養子ともに対象。
子が先に亡くなっていた場合は
孫が代襲相続
兄弟姉妹が先に
亡くなっていた場合は
おい・めいが第３順位
遺留分の割合
遺留分とは→相続人が最低限これだけは相続できるという権利
相続人
配偶者のみ
子のみ
配偶者＋子
配偶者＋親
親のみ
兄弟・姉妹のみ
遺留分
1/2 配偶者
1/2 子
1/4 配偶者
1/4 子
1/3 配偶者
1/6 親
1/3 親
なし
大神家忘れて!!
孫だね
えらっとスケキヨは…

子も兄弟もいない
本格的なおひとりさまは
財産残したら
どうなるんでしょう?
残念ながら、ドラマのように
突然相続人が現れてみな騒然!
相続人
みたいな
ドラマは
起きないん
ですよ
むしろ、誰も相続人が
いなくって、マンションの
大家さんが
ドドドドーン
家財道具
の処分
家賃未払い
大家さん
などの問題で頭を
悩ますというのはよく
聞きますね。
亡くなった時点で
持っている総財産が
3000万円以下なら
相続税が
かかる
3000万 超
私はそんなにないけど
なんか損した気分?
相続税が
かからない
3000万以下
私も手ばなしで
喜べない
相続税の
申告は必要
ありません

質問!!
はい、どうぞ
例えば友達や内縁の恋人と暮らしていて私が死んだらその人たちは私の遺産をもらえるんですか？
恋人
恋人だってできるかも!!
最後は友達と住むかも
内縁の恋人や友達は相続権がないので相続はできません。
お世話になったからもらってほしいのに～
遺産
内縁の妻・夫
友達
もちろん内縁の妻・夫や友達が亡くなったなとみさんの通帳を持って銀行に行き
これを解約して自分の口座に入れてください！
内縁の妻・夫
こういう事もできないのです
そうか…内縁の妻・夫や友達には遺産渡せないのかぁ…
老後は友達同士で一緒に住もうね～なんて話してたりするからなぁ～
お互い助け合って生きて行くから、遺産はそういう人にもらってほしいよね～
内縁の夫もこれからできるかもしんないもんねー
ねー…
大丈夫!!そういう方たちにも遺産を残す方法がありますよ
あるの!?

まずは「生前贈与」。
生きている間に財産を渡す方法
生前贈与なら、いつでも誰にでもいくらでも行えます
※年間110万円をこえると贈与税がかかるよ！
へーいいーじゃんコレ！
でもさー、今渡せる財産ってある？？
お次は「遺言書の作成」。
遺言書
ペカー
内縁の妻・夫・友達に財産を遺贈する旨を記載する事で、遺産を残す事が可能になります
やっぱり強いね遺言書はさ～
黄門様の印籠レベルよねー
そして「特別縁故者」になる。
「特別縁故者」になると、亡くなった人に法定相続人がいなかった場合、遺産の全額または一部をもらう事ができます
えーー!!
なにそれ!?特別縁故者ってなになに？
いきなりすごいカード出てきたー！！

はい!!
はい!はい!
その「特別縁故者」って誰でもなれるんですか？
これにももちろん決まりがあります
特別縁故者として認められる人は
・被相続人（亡くなった人）と同居して、生計を同じくしていた人
・被相続人（亡くなった人）の療養看護に尽力された人など
サイフはひとつ!
お薬の時間よ
いつもすまないねー
つまり、亡くなった人と親密関係にあった方が該当します
家庭裁判所に申立てをする
裁判所
申立て
内縁の妻・夫や友達
私は特別縁故者だと思うのでご確認お願いします
特別縁故者
やったー!
内縁の妻・夫友達
特別縁故者と認められたら
裁判所
審判
内縁の妻・夫や友達
裁判所から相続財産を分与する旨の審判が下されます。

いや〜…その特別縁故者になるのは結構な道のりで…
…でも認められれば遺産も渡せるしねぇ…
ちょっとメンドーだけどね…
ちなみに…
亡くなった方の遺産を誰も引き取らなかったら
自動的に国のモノになります
え———!?
やだ!! それだけは絶対にやだ!! 私の遺産は私の大好きな人たちに使ってもらいたい!!
やっぱり一番楽なのは「遺言書」ですかね?
そうですね。遺言書が一番実行しやすいですね!
カッ!!
遺言書、書く!!
うりゃうりゃうりゃ
ようし、映画にでてくるような巻紙で遺言書書くぞ〜〜〜っ!
遺産はすべて将来現れるダリンに渡す
ピーーー!
ドーーン!!
この遺言書無効っ!!

え？
無効…？
無効に決まってますっ？
はい！
思いっきり
無効です
ならばっ！！
ガバッ！
バタリ！！
なっ！
なとみさん!?
いさんはダーリン
血のダイイングメッセージ!?
今どき!?
ハイ！
これも
無効！！
えー!?
ガバアァァ
なにが
正解なん
ですかっ!?
遺言書の
正しい書き方
教えて
ください!!
一緒に
勉強しましょうね
大丈夫ですよ
はい
お任せください！

残したければ遺言状

はい、
という事で
遺言書の書き方ですね
よろしく
お願い
します!!
メモ
ノート
遺言の形式は
3つあります
①自筆証書遺言
②公正証書遺言
③秘密証書遺言
この中で、私がおすすめ
しているのが〜〜〜〜〜
しているのが…?
ゴクリ…
じゃん!!
②公正証書遺言
これですっ!!
おおぉ!!
なぜ、
おすすめなのか
と言うと、
公証人が絶対に
内容を確認
するんです
キラーン

しかも遺言を書いた本人と面談するんです
め、面談!?
遺言の内容に本人の意志が反映されているのか
※なとみのイメージです
では、この内容で間違いないですね？
公証人
はい！
遺言者
ファイナルアンサー!?
公証人
※ただのなとみのイメージです!!
遺言者
ファイナルアンサー!!
確認するのです。
なので信頼性が非常に高く後々遺言が問題になるケースが少ないのです
ペカー
公正証書遺言
カンペキだ…
なにも文句はございません
ちょっと費用がかかりますけど安心代みたいなものですね
さらに公正証書遺言を作ると「原本」は必ず公証役場に保管されます

公正証書遺言を作ると
原本は公証役場
持ち出し禁止
原本と同じ効力をもつ
正本(せいほん)
と
謄本(とうほん)
ふたつが交付される
遺言者
遺言執行者など
1部ずつ保管
正本と謄本は遺言者と遺言執行者とで持っている事が多いです
遺言者が亡くなり相続が起きた時遺言に書かれた内容を執行する義務があるからです
コっちもあるんだ。
原本は厳重に守られてるし…
絶対に失くならない！
遺言が見つからないってあるあるなんです
だから断然「公正証書遺言」を推奨してるんです！
しかも自筆証書遺言は遺言の形式が整ってない場合があって
実際相続が起きた時トラブルが起こる事が結構あるんです
トラブルを回避するためには「公正証書遺言」しかありません
形式が整っていないって例えばどんなことですか？
自筆証書遺言って、財産目録以外は必ず自筆で押印しないといけないんですけど
全文をワープロで書く
日付や氏名の記載もれも要件を満たしません
これは本当によくあるんです

あと不動産
土地は「所在」「地番」、
家屋は「所在」「家屋番号」で
登記されています
家屋が
同じ住所に
二棟
建ってたり
する場合
こっち
所在〇〇家屋番号△△
この所在や家屋番号で
家屋を特定するんです
でも住所だけしか
遺言書記載されていなくて
家屋が特定できず
トラブルに…という
ケースもあるんです
…自筆で
自分ん家に置いて
あった遺言書なのに
「これ整ってないから
相続ムリっス～」みたいな
事もあり得る、という
事ですか？
おおいにあり得ますね！
えええええ――――っ!!
せっかく書いたのにっ!?
書き損じゃん!!
遺族が
もめないように
書いた遺言で
遺族がもめる
とか…死んでも
死にきれん
公正証書遺言の
場合、書き方は
行けば教えて
もらえるんですか？
公証役場に直接
遺言者本人が
自分の財産の内訳が
わかる書類を
持って行けば、
公証役場の方で
文面に落としこんで
くれます

我々税理士がお手伝いして遺言書の文案を作成し公証役場としながら打ち合わせを遺言書を完成させるケースもあります
お任せください！
ホッ
あ、よかった安心♡
自分の財産がわかる書類ってどういうものですか？
不動産であれば
○固定資産税の課税明細書
○市区町村役場で取れる名寄帳
○所有権の確認ができる、不動産の登記簿謄本
預貯金であれば通帳
株であれば、取引報告書
などですね
書類まとめておきます
はい！例えば金とかアクセサリー宝石なんかはどうすればいいんですか？
例えば現物を持っているケースだと
写真
金
とか
○○貴金属店
お店が発行してくれる書類
こういったものを持って行けばOKかと
高価なお茶碗や着物などは？
誰々作の茶碗、○○で作られた着物など「モノ」が特定できるものなら証明書や写真などを持って行くと良いでしょう

ちなみに
家を息子に
あげたいと言ったら
家の中のものも
すべて息子に
いきますか？
家と家財一式
息子
おお…
ズシッ
テレビ、冷蔵庫、洋服
などはひっくるめて
家財一式といいますが
家の中にあるものは
その家を相続する人が
一緒に相続するのが
一般的です
一応法的には
別にすることも
可能です
ボロッ…
あの～
田舎の朽ちた空き家とか
汚部屋とかっていう
負の遺産が
相続の対象になったら
相続人は拒否
できるんですか？
うーん
それはねー
基本的には
無理です
無理イイ!?

息子さんが田舎の土地家屋本当にいらない！という場合は
サンキュー
え〜マジで〜
ボロ…
株
￥
金
それ以外の預貯金や株その他の財産もすべて、放棄してもらう事になります
例えば預貯金
5000万円
と株券
5000万円
の遺産と、地方にしかも、売るのが大変な15万円の価値しかない土地がある場合
売り地
15万円
15万円の土地
1億円
15万円の土地を放棄するために1億円も放棄しますか？
もらいます♡
15万円の土地
1億円
しませんよね（笑）
「1億円を相続する代償としていらないけど土地家屋ももらっておきます」ってなるんです
生きてる間におひとりさまがどうにか処分できないんですかね〜〜〜
二束三文の値段でも処分できれば…早めに処分するにこした事はないです

相続人でない人に
残す場合も
同じですか？
相続人じゃない人に
遺言で財産をあげる事を
「遺贈（いぞう）」
受け取る人を
「受遺者（じゅいしゃ）」と言います
遺贈にも
①包括遺贈
と
②特定遺贈
２種類があります
①包括遺贈とは
取得割合を示してする遺贈で、
「持っている財産を
全部あげます」という
遺贈も該当します
受遺者は
全部もらう
（単純承認）
全部いらない
（放棄）
の二択しかできない
受遺者
※財産よりも負債が多い時に
プラスの財産の範囲内で
負債を引き継ぐ
「限定承認」もあるが
レアケース
②特定遺贈
「財産を特定してあげる」
例えば
自宅の土地家屋はAさん
預貯金もAさん
受遺者
A
遺贈する財産を特定
した書き方をすれば
預貯金はもらう
けど土地家屋は
いりません
受遺者
A
という一部放棄が
できる

じゃあ
特定遺贈に
しといた方が
いいんですか？
負の遺産となる不動産が
あるのであれば
あげたい財産のみ特定して
遺贈するという方法が
よいですし、なければ
普通に包括遺贈でいいと
思いますよ
もらっても
うれしくない
財産が
あるかどうかで
使い分ければ
いいんですね
その他「特定遺贈」にする
よくあるケースだと、
ある程度の財産は
内縁の妻に、
残りは
お世話になった
病院やNPOに
寄付したい。
内縁の妻
そういう場合は
内縁の妻には土地家屋
預貯金は○○病院に寄付
こういう感じで
特定しておきます。
メモ
ちなみに…
本当に誰も相続する
相手がいない空き家は
どうなるんですか？

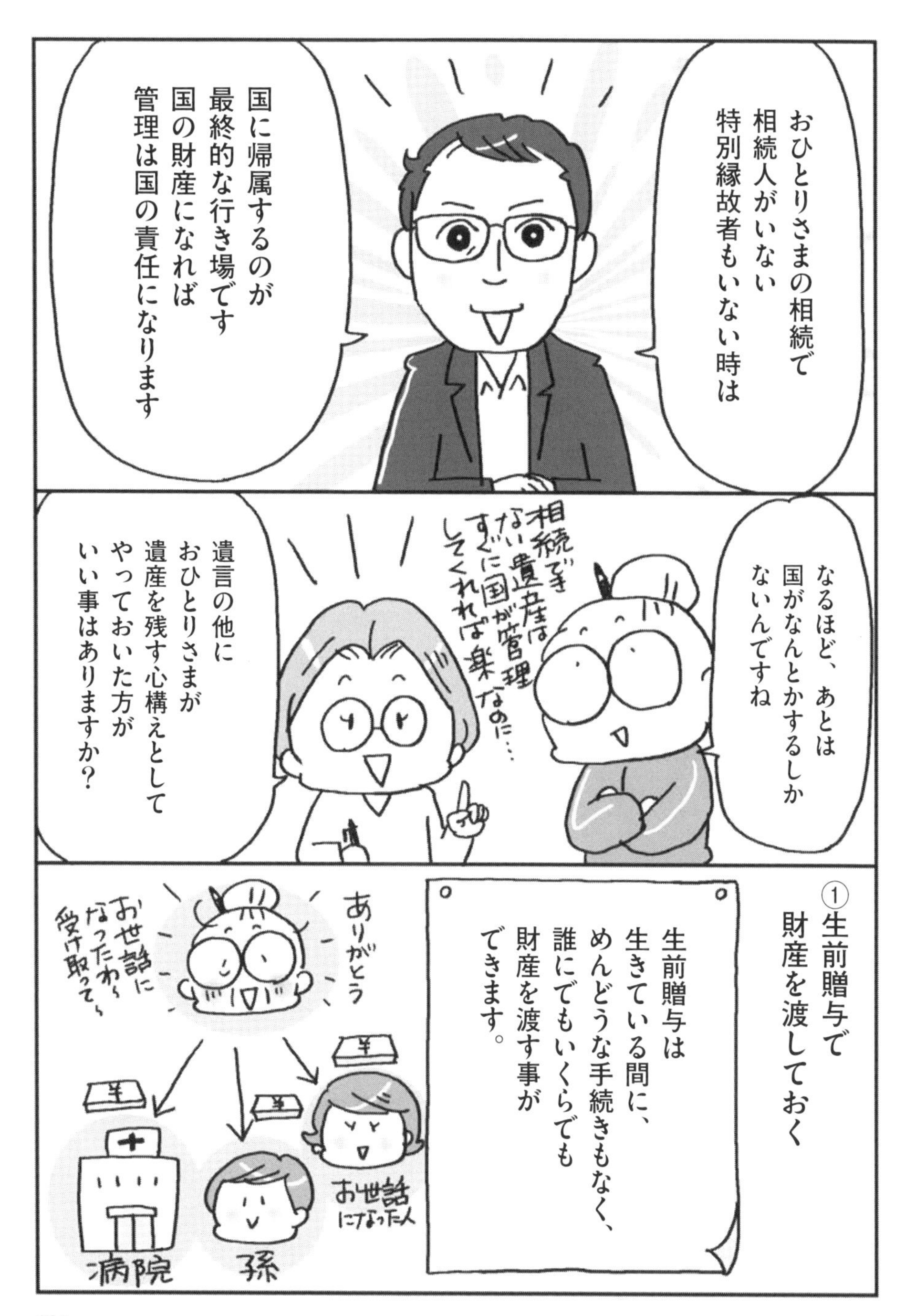
おひとりさまの相続で
相続人がいない
特別縁故者もいない時は
国に帰属するのが
最終的な行き場です
国の財産になれば
管理は国の責任になります
なるほど、あとは
国がなんとかするしか
ないんですね
相続できない遺産は
すぐに国が管理
してくれれば楽なのに…
遺言の他に
おひとりさまが
遺産を残す心構えとして
やっておいた方が
いい事はありますか？
①生前贈与で
財産を渡しておく
生前贈与は
生きている間に、
めんどうな手続きもなく、
誰にでもいくらでも
財産を渡す事が
できます。
ありがとう
お世話に
なったわ～
受け取って～
¥
病院
孫
お世話
になった人

補足：ここでの兄弟は例えば父が再婚である場合、
前の妻との間に子(自分にとっては兄弟となる)がいるかどうかがわかることを想定しています。

③財産のリスト化
誰も残す人がおらず、寄付したいなどの希望があれば、財産をリスト化し寄付先と金額を特定し、遺言執行者を指定した遺言書を作っておきましょう
ところで…
何歳ぐらいから遺言って作るもんなんですか？
70代、80代が多いですね 60代だと亡くなるまでに財産構成も変わってしまう可能性があるので
お元気で意思能力がはっきりしている70代、80代がよいかと思います
お話うかがったら私のラストメッセージとして無性に遺言書残したくなってきました
もちろん公正証書で！
その前に、もう少し遺産増やしとかないとなあ〜
遺言書開いたら遺産1万円とかじゃちょっとね〜(笑)
カッコ悪っ…
たしかに〜(笑) 遺言書の意味〜!! とかって息子さんに言われそう

コラム 04

パートナーや友人に財産を渡すなら遺言書一択!

相続は、おひとりさまの四大困り事のひとつ。おひとりさまが亡くなったら、相続財産は誰の手に渡るのでしょうか。不本意な相続とならないためには、やはり事前準備が重要。税理士法人レガシィの武田利之さんに、賢い準備について教えてもらいました。

財産は原則的に法定相続人に渡る

1章でも触れたように、おひとりさまの相続で特に気になるのは「相続人」「相続財産」「不動産の処分」「遺言執行者」です。

まず調べたいのは相続人。そもそもいるのか、いるとしたら誰になるのか、確認しておきましょう。そのうえで預貯金や有価証券、不動産などを記した相続財産のリストを作ります。

これらの相続財産は、法定相続人(民法で定められた相続人)がいれば、左ページの表の順序で相続されます。法定相続人がいない場合は、原則的に国庫に帰属しますが、家庭裁判所に生前に親しい関係にあったパートナ

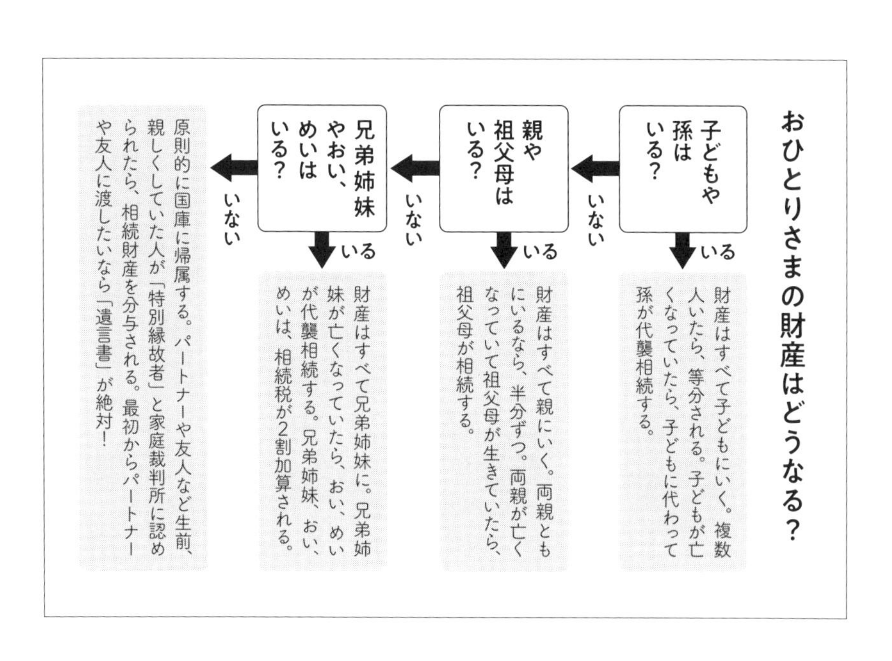

ーや友人などが「特別縁故者」と認められると、その人が財産の一部または全部を相続する事ができます。

特別縁故者として認められるには、「被相続人と生計を一にしていた内縁の配偶者や義理の息子、娘など」「被相続人の療養看護につとめた人」「被相続人と特別密接な関係にあった友人や知人、法人」といった条件をクリアしなければなりません。さらに、自ら家庭裁判所に「相続人不存在が確定後3カ月以内」に、相続財産の分与を申し立てなければならない、など手続きがとても煩雑です。

ですから、最期まで面倒をみてくれたパートナーや友人など、法定相続人以外の人に財産を残したい時は、遺言書を作成するのが最善の方法です。遺言書に残し、パートナーなど特定の相手に遺産を託すことを「遺贈（いぞう）」といいます。また子どもの支援や動物愛護、環境保護など思い入れのある団体に寄付する

「遺贈寄付」という方法もあります。
いずれにしても遺言書には「誰にどの財産を渡すか」「どこの団体に寄付するのか」「不動産はどう処理するのか」など、自分の希望をしっかり明記しておきましょう。
その遺言の内容を実行できるのは、遺言書の中に書かれた「遺言執行者」です。遺言を残す時は、合わせて遺言執行者も決めておきましょう。遺言執行者は未成年者と破産者以外の誰でもなれます。友人や知人、専門家にお願いしてもよいでしょう。
遺言書を作成する時の注意点が一点。民法では、法定相続人に一定の財産を確保させる「遺留分」という制度があるので、いくらお世話になっている人に「全財産を渡す」と書いても、法定相続人が権利を主張したら、遺留分の財産は取得させなければなりません。
後々もめないためにも、あらかじめ遺言書は、遺留分を侵害しない形で書いておきましょう。

遺言書は公正証書遺言がベスト

遺言書は「自筆証書遺言」「公正証書遺言」「秘密証書遺言」の3種類です。
それぞれの作成や成立には法定要件があり、不備があると無効になってしまいます。
「自筆証書遺言」とは、自筆で書いた遺言書。全文と日付、氏名を自ら手書きし、押印します。財産目録はパソコンで作成してもOKですが、全ページに署名捺印する必要があります。またトラブルを避けるために封筒に入れます。封筒の表面には「遺言状」と記載し、裏面には「家庭裁判所の検認を受けるまで開封しないこと」と記載しておくといいでしょう。自筆証書遺言は原則的に自宅で保管します。ただ、これには紛失や改ざんの恐れがあるため、2020年から「自筆証書遺言書保管制度」によって、手数料3900円を支払えば、自筆証書遺言を法務局で保管してもらえるようになりました。紛失・改ざんのリスクはないものの、保管時に外形的なチェックは行われますが、誤字脱字や不明瞭な記載があると無効になる可能性があるので注意が必要です。

公証役場で公証人に遺言書を作成してもらい、原本を公証役場で保管してもらうのが「公正証書遺言」。証人2名の立会いのもと内容を本人と公証人が確認し、署名、押印すれば完成。手数料が数万円かかります。

「秘密証書遺言」は、自分で作成し、内容は秘密、公証役場で存在だけを証明してもらうもの。基本的に保管は自分で行います。

秘密証書遺言はレアケースのため、メインとなるのは自筆証書遺言と公正証書遺言。武田さんのおすすめは「公正証書遺言」。その次は「自筆証書遺言を法務局で保管してもらう」。最もおすすめできないのは「自筆証書遺言を自宅で保管する」だとか。「そもそも自筆証書遺言は、体裁が整っていない恐れがあり、無効になる事も多い。また自宅で保管すると埋もれてしまう可能性大。せっかく書いても、亡くなった後に見つけてもらえないことも珍しくない」そうです。

遺言書について相談したいなら、税理士、司法書士、行政書士、弁護士など法律の専門家に。それぞれ力を入れている分野があるので、相続や遺言に力を入れている事務所を知っていそうな人に聞いたり、ホームページを見たりして探しましょう。

遺言書は、そもそも意思能力がないと作ることができませんから、意思能力がはっきりしているうちに作ること。70代に入ったら一度、検討してみるとよいでしょう。

遺贈を受けた人は、相続人がいない場合は遺産金額の合計が3000万円を超えたら相

3つの遺言書のメリット・デメリット

	メリット	デメリット
自筆証書遺言	手軽に書けるため、作成に手間や費用がかからない。存在や内容を秘密にできる。	形式不備で、無効になる可能性が高い。自宅で保管するため、改ざんや紛失のリスクもある。家庭裁判所の検認が必要。法務局で保管する場合は、3,900円の手数料がかかる。
公正証書遺言	公証役場で公証人が作成するため、無効になる事はほぼない。公証役場で保管されるため、改ざんや紛失の心配がない。家庭裁判所の検認は不要。	2人以上の証人の立会いが必要で、相続財産の価額に応じて公証人の手数料がかかる。財産が500万から1億円であれば2～5万円。内容を書きかえる際は再度、証人と追加の手数料が必要。
秘密証書遺言	遺言執行まで内容を第三者に知られる事がない。パソコンやワープロで作成可能。偽造や改ざんを防げる。	自分で保管するため紛失の恐れがある。手続きに2人以上の証人の立会い、相続時には検認が必要。公証人の手数料は1万1,000円。

続税が発生します。また受ける人の立場によって、かかる税金は変わります。「この財産をこの人に渡したい」というのが明確であれば、生前に贈与するのも手です。ただし、年間110万円超えると贈与税がかかるので、贈与税が高すぎるようなら、相続税と比較し、遺言書で引き継いでもらいましょう。

受ける立場で税金が変わる

相続させたい相手	渡す方法	かかる税金
相続人以外のお世話になった人［パートナー、友人、知人、子どもの配偶者、介護ヘルパーなど］	遺言書で遺贈	相続税が2割加算
同性パートナー	自分とパートナーで養子縁組	相続税
宗教法人などの公益法人等	遺言書で遺贈寄付	もらった公益法人等は非課税、不動産や株式を遺贈したら被相続人に含み益に対する税金がかかる

5章

いつまで自宅にいられますか？

在宅医療

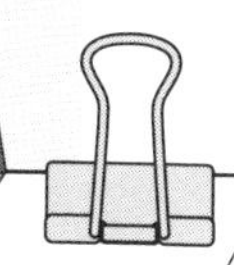

小笠原文雄（おがさわらぶんゆう）

1948年岐阜県生まれ。医学博士。小笠原内科・岐阜在宅ケアクリニック院長。名古屋大学医学部卒業。名古屋大学第二内科（循環器）を経て、1989年に岐阜市内に開院。2020年、第16回ヘルシー・ソサエティ賞「医師部門」を受賞。著書に『なんとめでたいご臨終』（小学館）『大往生のコツ』（アスコム）

施設探しは結構楽しい

なとみさん おはよう ございま〜す
ゴミを出す日
燃えるゴミ
燃えないゴミ
ゴミ 45ℓ
あ！ おはようございます
ども〜
近所のおばあちゃん
え？ 老人ホーム？
そうなの〜 最近 物忘れが ひどくって ひとり暮らし 不安に なって きちゃって
…そうか
寂しく なっちゃうなぁ〜 老人ホーム遊びに 行ってもいいですか？
もちろん
遊びに来てね〜
はい！ 遊びに 行きま〜す！

…老人ホームか…
私もいつか
お世話になるんだよね
愛犬 りく
ガバッ!!
私が施設に入っちゃったら
りくちゃんどうなっちゃうの!?
いやいや
離れるなんて
できない
りくちゃんと
一緒に入れる
施設を探せば
いいわよ
ね
ぎゅっ!!
…ん？ そもそも
施設ってどうやって
探すの？
というわけで、山田先生に相談中――
え？ 施設の
不安？
なにが
不安なの？
探しかた
とか…
入るタイミング
とか…
…集団生活
できるかな…
とか
毎回 これ…

まだ入居するのは先の話だと思うけど不安なら少しずつ見学会に行ってみたら？
見学会？
施設のですか？
見学会なんてあるんだ
そう、いろいろ行ってみると
老人ホーム
「こういうところがいいな」とか「こういうのは苦手」とか好みがわかってくるから
あちこち回ってみるといいと思いますよ
イベント感覚でお友達とワイワイ行くと楽しいですよ
セレブリティ
ラグジュアリィ
経験だと思ってちょー高級施設とかもぜひ行ってみて！もし気に入ったところがあったらエンディングノートに「ここに入りたい」って書いておきましょう

友達と施設回るの楽しそうですね！
私もマンションの内見とか大好きだから、施設めぐり絶対楽しいと思う♡
そう楽しもう！
でもやっぱりおひとりさまは施設に入った方がいいんですかね？
入るタイミングって何でしょう？
それは人によります うちの96歳の母もひとり暮らしだけどなんとかやってるし
元気？
家がいいんだって
元気よ♡
近所の人とよく話しているし近くに住む兄や妹も、ときどき様子を見にいってくれてます
ありがたい！
でも1章でも言ったけど最近お年寄りをねらった犯罪が増えていて
高齢者のひとり暮らしだとわかるとガラス割って入ってきちゃうとかね
怖い!!
だから70歳を過ぎたら一度施設を検討してみるのはありよね
オレオレ
あら〜息子ちゃん？
オレオレ詐欺なんかもあるし、認知機能が怪しくなってきたら入居を検討してもいいと思う

自分が認知症になったってわかるんですか？
初期の頃にはわかるみたい物忘れもあるけど、一瞬、どこにいるか、なにをしているのかわからない事が続くって
・・・
認知症は急になるわけじゃないからその前に施設に頼る心構えを持っておいた方がいいですね
住みなれた家にこだわる気持ちもわかるけど、犯罪も怖いし、古いお家は生活が不便だったりする
金だせ！
強盗
階段が急！
オレオレ！
詐欺
悪徳訪問販売
お風呂が寒い
頑張れるだけ家にいて「これとかあれができなくなったら施設に入ろう」って思っておくといいと思います
高齢者施設にはたいてい入り口に受け付けがあるから人が勝手に入室できなくて安心
GUARD
受付
他の入居さんもいてゆるくつながれてさびしくない
お茶でーす
おいしいですね
ね

でもそういう施設ってお高いんでしょう〜？
施設見学ツアー
もちろん高級施設もあるけど、同じ施設でも地域によってお安いところもあります
地域にこだわるのか、施設のランクにこだわるのか予算を考えながら、まずは見学に行ってみましょう
実は、おひとりさまって持ち家があったりお金貯めてたり自分の資産は全部自分のために使えるでしょう
なるほど
自分のためだけに使えますね
持ち家ないけど
貯金もないけど
いざという時貯金を使ったり家を売ったりなんとかなる事が多いの
うちの母も足をけがして、夏にリゾートホテル気分で施設に短期入居してたんだけど
お食事です
ありがとう♡
イキイキ
キラ
お茶です
働いている人が若くて生き生きしている施設ですごく楽しかったみたい（笑）
でも食事がちっちゃく刻まれてて そこは嫌だったって（笑）
ね、人それぞれ♡

家にいたいというなら、自費で雇うヘルパーさんに家事を手伝ってもらったり
自治体のお買い物サポートなどを使うのもいい。
3000円ぐらいでやってくれる♪
ネットスーパーも充実しているし。
netスーパー
まいど！
米
水
でも自宅に住み続けるには、独立心が必要ね
ヘルパーさんなどの手配は自分でやらなきゃならないし、すべての家事を頼むわけにはいかないから
施設が絶対とは言わないけど、選択肢のひとつとして考えておくと、自宅で暮らしにくくなった時は、施設があるから、大丈夫って安心できると思うのよね
選べるって思えれば日々の暮らしにも余裕が生まれて楽に過ごせそう♡
兄弟とか友達と同じ施設に入るとかね
友達と一緒に施設に入りたいです
誰かそれ用にマンション買ってくれないかな〜！
それ絶対楽しいやつ♪
なとみさんが買ってくださいよ！
ムリ〜〜!!
それから逆説的だけど施設入居がむずかしい人はコミュニケーション能力高めてね！

コミュニケーション能力が高い人の方が自宅に向いていると思います
そーよそーよ
なにかあったら助け合おうね！
週に1回お茶しましょうよ
いいわね〜
お隣・ご近所さんとは助け合いが必要だからねコミュニケーション大事だよね〜
施設だと、困った時は施設の人にも頼れるし、必要な時だけのお付き合いも可能だもんね
!!
という事は
集団生活に不安な私は…
引きこもりたいからあえての施設選択ね…
なるほど！目からウロコです
ウロコ
ウロコ
私みたいな寂しがり屋は施設の方が安心なのかもなゆるいつながりっていうのもちょうどいいし
自分のために料理するとか絶対ムリだし〜
よーーし!!じゃあまずは見学会だね!!少しずつ自分に合いそうなところ探してみます！
えーー！なとみさん一緒に行きましょーよ!!
おっ、いいね！行こう行こう！
楽しんできてくださいね！

どこまで在宅？　終末医療

私、義母の介護をしてたんですが
最期は家で看取りたかったんですが、脳梗塞で入院となりその3カ月後、病院で逝かせてしまった…その事をいまだに後悔しているんです
はぁ〜…
介護に悔いは残りますよね…
でも死ぬ時はやっぱり家がいいですよね
私、病気になったら入院せず家で闘病したい…
そして、家で死にたい！おひとりさまだと難しいですかね!? わがままなんですかねっ!?
わがままなんかじゃない！義母を見て私もそう思った！死ぬ時は家で死にたい！
でもどうやれば叶えられるの？
そういえば後輩が在宅看取り第一人者のお医者さんの本作ってたので紹介してもらいましょう！
やったー!!

はじめまして
岐阜で在宅医療を
やっています小笠原です
じゃん
なんとめでたいご臨終
おひとりさま！
在宅死！ については
僕のこの本
『なんとめでたいご臨終』を
読んでいただければ！
しょっぱなから
宣伝（笑）
先生は
どうして在宅医療を
やってらっしゃるん
ですか？
家に帰ると
自由で嬉しいでしょ？
病院でホットコーヒー
飲んでもほっとしない！
わっはっはっはっ！
家ではホットコーヒー
飲まなくてもほっと
するでしょう？
だじゃれ
キター!!

でも、これ大事なんですよ！
ほっ
ほっとする気持ちほっとする環境これが人間には大切なんです
だから私は在宅医療を始めたんです
私、おひとりさまだから、自宅で死ぬとか言うと大変で、みんなに迷わくかけるんじゃないかな～って思ってたんですけど
先生の本読んだら「あれ？　私もやれちゃう？」って思って♡
そうそう「家で死にたい！」って、大きい声で言える！って思いました！
ねー
ねー
僕もね、ひとり暮らしで在宅看取りはできないって思ってましたよ

寝たきりでひとり
だったら困るでしょう
誰かが介護しないと
お子さんが仕事を休んで
看病するとか
・・・
ヘルパー
子ども
家政婦
ヘルパーや
家政婦を頼んだら
結構なお値段かかるから、
お金持ちしか
絶対無理!!
って思ってました
でも、2004年の冬、クリニックに
ひとりの女性がやってきて
私、末期がんで
ひとり暮らしなんですけど
お友達
動けなくなって
病院に入院するまで
往診してくださいませんか?
と、言うのです。
「緩和ケア病棟に入院しなさい」
って担当医に言われて
見学してきたんだけど、
空気が重くて…ここは無理だなぁ〜
と思いまして
お願いします
歩けなくなって寝たきりに
なったら入院するので
それまで往診してください
ギリギリまで自宅に
いたいんです
お願いします・・
って一生懸命言うものだから、
いいですよ
往診
しましょう
お受けする事に
しました。

ぱぁぁぁぁ…
ありがとうございます
でもその代わり歩けなくなったら緩和ケア病棟に入院しましょうね約束ですよ
はい
その当時はまだ独居の方の在宅看取りはやった事がなくてねー。
でも彼女、動けなくなっても
もう1日だけ家にいたいんです
と言って入院しません。
なにかあったらどうするんです!?
いいんですなにかあっても私、幸せだからあと1日家にいさせて
と言って病院に行かないのです。
次の日もまた次の日も
もう1日…
もう1日だけ…

…ねぇ先生、今の日本でひとり暮らしで家で死ねたら
こんな幸せな事はないわねぇ〜
ええっ？
僕は特別室に入ってかわいい看護師さんに囲まれてる方がいいなぁ
先生は死ぬと思ってないからそんな事おっしゃるのよ（笑）
家の壁のしみを眺めながら
昔の事を思い出したり
夜中外から聞こえてくる声や…
あはははやだー
街の灯りに癒やされるんです。
だからもう少しだけ家にいたいの。
う〜ん…そんなもんですか？
あはは生きてる人に死ぬ人間の心はわからないのよ

結局彼女は
希望通り
家で亡くなりました。
「生きてる人に
死んでゆく人間の
気持ちはわからない」
そう、僕にはわからなかった
だから僕は
聞く事にしたんです。
あなたは
本当は
どうしたいん
ですか？
って。
それからひとり暮らしでも
在宅医療ができる！
そういう事実を積み重ね
ひとり暮らしの人も
こんなに幸せに死ねるんだ
という事がわかりました。
でも
ほとんどの人は
「最期は家で死にたい」
って言わないんですよ
家にいたいのに…
やっぱり勇気
要りますもんね
それで在宅医療って
どんな風に
行われるんですか？
状態が落ち着いていれば
ふつう月2回、
訪問診療に行きます
あぶないと週に数回は行きますよ
呼ばれれば、夜中も24時間、
365日対応です

でも、医者が呼ばれる事ってほとんどない
患者さんが笑って過ごしていれば呼ぶ必要がない（笑）
さらに
「事前約束指示」
ドン!!
というのがあって、これは大事です!!
・痛くなったら○○薬を飲む
↓
・効かなかったら座薬
↓
・座薬が保管してある冷蔵庫まで行けなければ
ナースコール
こういう指示が書いてあります
病院のナースコールと同じね
あはは
看護師
ヘルパー
駆けつけた看護師さんが指示書を見て痛みを取ってくれます。
飲み薬←座薬←点滴
ふー
患者さんが怖いのは痛み。これを取ってあげれば、安心して家にいられるわけです。
痛みがなければ安心して家で死ぬを選択できますね
在宅医療をやってくれるお医者さんはどうやって探せばいいんですか？
在宅医療のためというより、心の通う良いかかりつけ医を持つ事が非常に大事
かかりつけ医が在宅医療をやっている先生だったら最期もきちんと考えてくれる
初めての診察時に「家で死にたいんですが」と聞いてみるといい

元気なうちに探しておいた方がいいですか？
在宅医療が必要になったらで大丈夫です
それで間に合いますか？
間に合いますよ
治る病気はまず病院で治療しましょう まずはここに集中！ 考えるべきは完治しなかった時 その後です
苦しまずに笑って生きて笑って死にたいのならそのやり方を見つけるぞ！と希望を持つ事 やってやる！と心を決める それが大切なんです
まずは病院
余命3ヵ月
…
だったら
家で自由に暮らして死にたい！
家で笑顔で死ぬぞ！
病気になると不安でなにかにすがりたくなる そういう時は心が通う良いかかりつけ医にすがりましょう！
そうか、だからかかりつけ医が大事なんですね
私もかかりつけ医探します！

不安になると下を向く
下を向くと
落ち込むんですよ
落ち込むとストレスで
緊張する、そしたら
免疫力も落ちる
そんな時はあくび体操が
いいですよ！
あくび
体操？
あくび体操
①両手を下ろしたまま
足を肩幅に開き、
背筋を伸ばし
胸を張る。
②両手を前から
ゆっくり高く上げ、
大きく胸いっぱい
空気を吸う。
あ〜あ
③大きな口を開け
「あ〜あ」と
あくびしながら
上げた両手を左右に
下ろす。
1セット2回、1日3セット
ストレスを感じたらすぐにやる
自然の空気を吸いながら
やってみよう！
わっはっはっ
あくび体操は
上を向くので
背骨が伸びる
あくびをすると
ストレスが取れる
そこでワッハッハッ!!
と笑うとね、希望が
わいてくるんですよ
本当だ！
背中が
伸びて
気持ちいい

わっはっはっ!!
不安になったら
あくび体操ですね
じゃあ元気な時に
やっておいた方が
いい事ってありますか？
年に1回の健康診断は
受けてほしいですね
そこでなにか見つかれば
すぐに治療に
つながりますから
行きますっ！
あとは信じる
「苦しんで
死なねばならない」
じゃなくて
笑って生きて笑って死ねる
方法がこの世にはある
それを信じる
そして自分にはそれが
できると、信じて進む
この信じる事が
とっても大事なんです
「信じて進む」か
自分の希望を
叶えてあげられるのは
自分だけだもんね
人生、すべてに
共通する事ですよね

お友達と隣近所の人から嫌われない生き方をするのもいいいね
自分がいなくなっても「あの人はいい人だったな、良い生き方をしたな」って思い出してもらえるのって素敵ですよね
良い死に方をするために、良い生き方をするんですね
ひとり暮らしの人は自分の希望を叶えるえたら「希望死」「満足死」「納得死」となる
笑って生きて、笑って家で死ぬこれがなんとめでたいご臨終ですよね！
めちゃくちゃ心にしみました！ありがとうございます
家で笑って死ぬ勇気がわきました！
「なんとめでたいご臨終」目指しましょう！

コラム 05

最期は自宅か施設か、制度を使えば在宅医療も可能！

人生の最期をどこで過ごすか、施設はどんなところがいいのか、終の棲家の選び方について、山田静江先生に聞きました。たとえ病気でも入院せず、自宅で最期を迎えたいという人は「国の介護保険制度を活用すれば、その願いは叶えられます」、そう小笠原文雄先生は話します。

自宅と施設、どっちで最期を過ごす？

自宅か施設か、終の棲家をどうするか、持ち家なら死後に残る不動産をどう処分してもらうか、今から考えておきたい事です。

最期まで住み慣れた自宅で過ごすメリットは大きいですよね。それを望む気持ちはわかります。ただ、高齢になってできないことが増えたり、詐欺や犯罪に遭いやすくなったりするなど、ひとり暮らしの不安を考えると施設にもメリットはあります。

施設といっても、左ページの表にあるように、①介護は外付けで独立した生活ができるところと、②介護サービスがセットされている介護付きの施設まで色々あります。立地や

高齢者施設・住宅

	施設の種類	特徴	おもな入居条件	入居費用	月額費用(※)
①介護サービスは別途契約	サービス付き高齢者向け住宅（サ高住）	バリアフリー構造に見守りサービスを備えた住宅。	原則60歳以上	0円～数千万円	約15万円～
	ケアハウス	生活支援が受けられる高齢者向けの住宅。費用は所得による。	60歳以上など	0～30万円	7万～15万円
	住宅型有料老人ホーム	食事や家事援助などを受けながら暮らす施設。	60歳または65歳以上	0円～数千万円	約15万円～
②介護サービスがセット	介護付有料老人ホーム	介護サービスが組み込まれている有料老人ホーム。	要介護1以上	0円～数千万円	約20万円～
	グループホーム	認知症の人がスタッフのサポートを受けて暮らす施設。	要支援2以上認知症	0円～数十万円	約15万円～
	特別養護老人ホーム（特養）	重度の要介護者向けの介護施設。収入および預貯金が少ない人には費用の軽減制度あり。	要介護3以上	0円	9万～20万円

※費用は食費込みの概算。　①は介護費用は別途、②は介護費用込みの費用　〈山田静江先生作成〉

建物・設備・サービスの違いなどにより、住み心地や費用はさまざまですが、見守りがあって、万一の時に対応してもらえる点は安心です。自宅を売るなどして、希望の施設に入る事は、そう難しい事ではないかもしれません。希望があればエンディングノートに書いて誰かに伝えておきましょう。

自宅に住み続ける場合、持ち家であれば、自宅に住み続けながら、老後の生活資金を確保できる方法があります。それが「リバースモーゲージ」と「リースバック」です。

リバースモーゲージとは、自宅を担保に金融機関などからまとまった金額を借り入れできる金融商品。契約者が亡くなると、担保となっていた自宅を処分する事で一括で借入金を返済できるしくみです。月々の返済額はゼロか、ローンが残っている場合は借りかえによる利息のみなので、毎月の返済負担が軽く、自宅を引き継ぐ人のいないおひとりさまに向いています。ただし対象物件の条件が厳しく、原則は「戸建て住宅」か、都市部など一定の条件を満たすマンションのみ。また長生きすると借りられる資金が上限に達する（年払い型・利息なしの場合）、担保評価が下落する、金利が上昇して利息が増えるなど、リスクもあります。

一方、リースバックは、不動産会社に自宅を売却し、不動産会社と賃貸契約を結び、賃貸で元の家に住み続けるしくみ。不動産を一括で買い取ってもらえるので、まとまった資金を得る事ができて使い道に制限はありません。ただし買取価格は、市場価格の7～8割で、賃貸価格の累計額は10年程度で買取価格をこえる「安く売って、高く借りる」しくみのため、「よほどお金に困っていなければ使うメリットはありません」と山田先生。「銀行が返済を急がせるために勧めるか、不動産会社が売却を勧める時にキャッチワードとして出す事も。いずれも売却して引っ越した方がずっといい」と語ります。

介護保険の在宅サービスをフル利用！

「在宅医療なら、ひとり暮らしでも幸せに家で死ねる」と小笠原文雄先生。終末期に在宅医療を受ける事ができれば、おひとりさまでも人生の最期を家で過ごし、家で死ぬ事は可能です。それを実現させるカギとなるのは、国の介護保険制度の「在宅サービス」をうまく活用する事。おひとりさまの在宅医療には、この在宅介護との連携が必須。訪問看護師がキーパーソンになり、ケアマネジャーや介護ヘルパーなど多職種の人たちが関わる事で乗り切る事ができます。

介護保険制度で利用できる在宅サービスは、主に「居宅サービス」と「地域密着型サービス」。自宅で受けられる介護サービス

「居宅サービス」には、訪問介護や訪問看護などの「訪問サービス」、デイサービスやデイケアなどの「通所サービス」、ショートステイなどの「短期入所サービス」、他に「福祉用具の購入やレンタルサービス」などがあります。一方「地域密着型サービス」は、住み慣れた地域で生活できるように支援する事業。なかでも、定期的に自宅で介護や家事のほか、生活上の相談や診療の補助もしてもらえる定期巡回・随時対応型訪問介護看護は、在宅医療にとって、非常に価値のあるサービスです。これらのサービスを、どう利用するかは、ケアマネジャーと相談し決定します。

まず地域包括支援センターに相談

介護保険制度の介護サービスを受けるには、まず自治体の「地域包括支援センター」などに介護が必要か、要介護認定を受けられるかを相談します。認定が受けられそうなら、市区町村役場に要介護認定を申請し、認定調査や主治医の意見書を作成してもらいます。その後、審査、判定が行われ「非該当」「要支援」「要介護」のいずれかに決定されます。

介護レベルについては、要支援は2段階、要介護は5段階に分けられます。最もレベルの高い要介護5は「食事や入浴など、生活全般にわたって全面的な介助が必要」といった状態です。要介護認定を受けられなくても、家事援助や見守りなど自治体独自の福祉サービスもあります。

介護費用の自己負担は1～3割

介護にかかる費用は、介護保険制度を利用すれば、収入に応じて1～3割の自己負担ですみます。基本は1割。年間収入が280万円以上３４０万円未満は2割、３４０万円以上は3割になります。

そもそも在宅サービスには１カ月当たりの支給限度額が設けられていて、自己負担額の目安はだいたい把握できます。仮に要介護5なら、支給限度額は36万２１７０円、自己負担分は1割なら3万６２１７円、２割なら7万２４３４円、３割なら10万８６５１円となります。（厚生労働省「２０１９年度介護報酬改定について」をもとに編集部で試算）。

さらに在宅医療を受けると、医療費がかかりますが、医療費の自己負担割合は基本的に70歳未満は3割、70～74歳は２割、75歳以上は1割。75歳以上でも一定以上の所得があると2～3割となります。

小笠原先生によると、在宅医療にかかる費用は、医療保険と介護保険を利用しながら自費を足すと、月額5万円程度が平均的だそう。ただし夜の見守りヘルパーは1日２万円と高額。救急車で運ばれると医療費が1割負担の人でも1泊2日5万円かかります。主治医と相談し、取捨選択しましょう。

在宅で終末医療を受ける時に大切なのは、意思表示ができなくなる前に、どうしてほしいか、明示しておく事。「延命措置」を希望するのか、「緩和ケア」をしてほしいのか、尊厳死宣言書（27ページ）などを活用し、自分の希望を表明しておきましょう。

ひとりで家で死んだら孤独死になり、迷惑をかけてしまう、と在宅看取りを断念するおひとりさまも少なくありません。しかし在宅かかりつけ医が死亡診断書を書く事ができます。在宅看取りをかかりつけ医に相談するか、日本在宅ホスピス協会のホームページで医師や施設を探しましょう。一方、介護の程度がひどくなると、施設介護を選択する人が増えるというデータも。施設入所も選択肢に入れておきましょう。

6章

残したままでは死にきれない

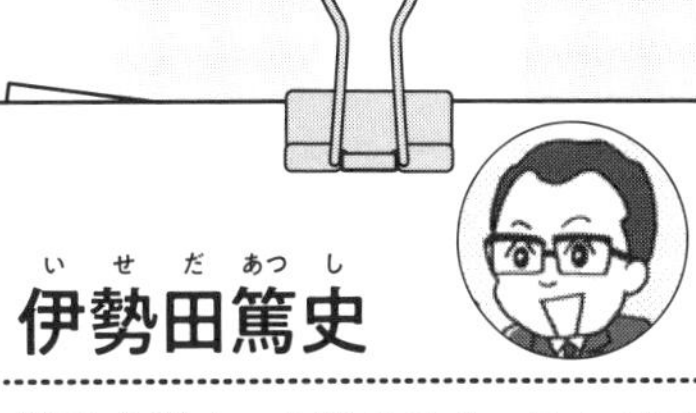

伊勢田篤史（いせだあつし）

終活弁護士・公認会計士。日本デジタル終活協会代表理事、一般社団法人緊急事業承継監査協会代表理事、となりの法律事務所パートナー。慶應義塾大学経済学部卒業、中央大学法科大学院修了。終活弁護士として、相続問題の紛争予防対策に力を入れている。著書多数。

デジタル遺産

愛しのペットはどうしよう？

りくは
どーなっちゃうの――!?
んぎゅっ!!
!!
まーたなにか黄昏(たそが)れてるの?
やまだ先生ぇぇ~!!
どーした どーした
どどど
そうなんですよ
私になにかあったら
りくちゃん
どうしようかと思って…
なるほど
それで黄昏れてたのか
Cafe

私も以前骨折して入院した時、同じ部屋だった人が、おひとりさまでワンちゃん2匹飼っててね
ペットショップのホテルに預けてるんだけど、1日2匹で5000円なの
1日5000円か…結構かかっちゃいますねー
…うん そうなんだけど
急な入院で預かってもらえるだけでラッキーでしたよ
なかなか頼める友人もいなくて
医療保険から結構もらえそうだから助かっちゃった(笑)
はあ〜〜
そうなんですよね〜〜〜
私も考えとかないと…
猫は犬よりお金を払って預かってくれるところが少ないんですよね
なので飼い主の病気→長期入院→ペットを手放すはありがちなパターーン
手放す!?
突然の事故・入院で預かり先が見つからない場合は保護団体とか猫カフェみたいなところに預ける事になる

その場合は新しい
飼い主を探す事になるから
所有権を放棄して
ペットとお別れする事に
なっちゃう
…
ムリムリムリムリ
別れる〜!?
でしょ？
だから
ちゃんと考えて
おかないとね
でも、猫は
数日ならお水とかご飯を
やってくれる人がいたら
いいけど、犬はそういう
わけにはいかないよね〜
いざという時のために
ペットホテルとか預けられる
ところを探しておきましょう。
ペット
HOTEL
犬友の
お家
かかり
つけの
動物
病院
突然預けて、
しかもそれが初めてで、
長期になるとわんちゃんも
ストレスになるから、
事前に何回かお泊まりさせて
慣れさせておく事が
ベスト！
ここどこ？
ママは？
おうちに
帰りたい〜
犬はわからないし…

自分が老人ホームに入居する時もペットを飼っていたら、一緒に入れる施設を探してみるとかねー
あ！私ネットで見た事ありますペットと一緒に入居できる施設！
あまりないとか高いとか聞くけど…
でもどこに預けたとしても、自分の死後、自分の大切なワンちゃんは幸せに暮らしてほしいですよね
そうなるとやっぱり自分が一番信頼できる人にお願いできるのが安心！
兄弟とか親せきとか
任せろ！
友達とか大友とか
任せて！
そういう場合も事前にお試しお泊まりは大切。実際お預かりしてみたら
ワンワンワンワン
慣れなくて吠えちゃうとか
ガウガウ
ガウガウガウ
先住犬と合わないとか
どうしても家に置いておけない理由が生じて、手放す事になる可能性もある。
ママ〜〜
自分の死後望まない方法で処分されたらいやでしょう？

ペットを守ってあげられるのは
飼い主だけ
死んじゃったら直接的には
守ってあげられないけど、
生きてるうちに色々決めておけば、
死後もちゃんと
守ってあげられるんです
信頼できる友達
仲良しでよかった♡
なとみ見てる？
りくちゃんは
幸せだよー
ありがとう
幸せそうでよかった
先住犬
うえーん
先生
良い事
言う!!
…正直りくを飼うまで
こんなに大変だとは
思ってませんでした。
お金はかかるし、
手間はかかるし（笑）
でも14年間も一緒に
暮らすともう家族、私の一部
りくをきちんと看取る事が
自分の使命だと思ってましたが、
「私になにかあったら」を
全然想定していませんでした
私になにかあっても
りくにはずっと
幸せな犬生を送って
もらわないと…
預け先探しておきます
大切な家族のため、
ガンバって！

デジタル遺産をどう残す？

答えはここにあるっ!!
こんにちは伊勢田です！
デジタル終活はログインパスワードを書き残しておく事です！
……
伊勢田篤史さん
日本デジタル終活協会代表理事
メモ
ええっ!?
そんな簡単な事でいいんですか!?
はい、まずなによりこれをやってくださいアナログでいいんですこれで、ほぼ問題は解決できます
生前にスマホを見られたら不安という人は
「スマホのスペアキー®」を作っておくといいですよ！
スマホのスペアキー®の作り方
名刺裏や名刺サイズを厚紙にパスワードと記入日を書き込むだけ
遺族が特定できるように特徴や商品名もかく！
パスワード部分に修正テープをすけないように二重にマスキングする
革ケースのiPhone 123456
青いアンドロイド 654321
iMac 0000
修正テープの下には、スマホのパスワード等が書いてあります。万が一のときは固い金属で削ってください
2024.1.1
削られていたら見られたのもわかる！
マスキングする場合は書いておく
※スマホのスペアキー®は、古田雄介氏の登録商標です。

これを財布の中や重要書類と一緒に保管しておけばOK！
わ〜！それ簡単！すぐにできますね！
あの〜…パスワードがわからないとどうやっても開ける事はできないんですか？
一応、専門家がいて開けられる事もあるんですが
ケースバイケースですが
20万から30万円ほど費用がかかる上、半年から1年ぐらい時間がかかったりするんです
20、30万!? 1年!?
はい、なので大半の方は諦めるそうです
スマホやパソコンが開かなくて困る事ってなんでしょうか？
それは
バッ!!
このふたつです！
相続
葬儀
じゃ〜ん!!

葬儀の場合だとやはり「遺影」
最近写真は全部スマホの中 プリントアウトしてる人はあまりいない だから遺影用の写真がない
大人だから卒業アルバムの写真を使うっていうのも…
高校の卒アルより
若すぎ…
違和感
知人からのデータ提供がない場合免許証の写真しかないかもしれません
これ!!
え!?
あの小っさい写真、引き伸ばすんですか!?
あの犯罪者みたいな写真をっ!?
誰にも見せたくない率No.1!!の写真を人前にさらせとっ!?
それはムリ〜!!
そのくらいしか写真が残ってないんですよ…
よかった〜 オスカ○の遺影撮ってあるから安心だわ〜♡
ホッ
ずるい! あたしも遺影撮っておかないと!!
いや、焦るのそこじゃないから
あとは友人・知人の連絡先もスマホの中 亡くなった事自体伝える事ができないんです
…自分の死が友人に伝わらないなんてさびしい…
その逆の友人の死も伝わらないって事ですよね?
いやだ〜 さびしすぎる!!

あの〜相続って
ネット銀行
とかですか？
私、
ネット銀行しか
使ってなくて
スマホ開かないと
財産没収とか
されちゃうん
ですか!?
ちょっと不安なんです〜!
ちょっとじゃないよね!!
ネット銀行は
キャッシュカードがあるから
そんなに問題ありません
銀行名や口座番号がわかる!
キャッシュ
Card
むしろ
ネット証券の方が深刻
以前は紙の書面を送ってきたけど
今はネットで完了できる
なので遺族は故人が
どこのネット証券会社と取引を
しているかわからないんです
エンディングノート
○○証券
○○証券
もってるよ!!
と、書いておくのが
一番ですが、
それが無理なら、
スマホやPCの
パスワードだけでも
残しておけば
調べられるので
最近キャッシュカードを発行しない銀行も
増えてきました。キャッシュカードが
ない場合も同じように対応しましょう
証券会社に
アクセスするのに
パスワードも
残しておいた方が
いいですか？
相続手続きなので
IDやパスワードも
不要です
逆にログインして、
何かしてしまったら、
相続人同士がもめる原因にも
なりかねません
証券会社がわかったら

証券会社に相続について連絡
←
口座凍結
←
遺産分割協議
←
相続手続き
こういった流れになると思います
相続手続きで必要そうなのは… ・ネット銀行 ・ネット証券 ・暗号資産 と、他には…
QR決済ですかね?
QR決済は相続できる場合とできない場合があるので、相続人が問い合わせする必要があります チャージ型の電子マネーについては相続可能とされています
あと注意したいのがサブスクリプションサービス いわゆるサブスクです
サブスクって死んでクレジットカードが止まれば自動的に止まるんですよね?
自動的に止まるかどうかはサービス次第ですので確認が必要です
え〜〜〜っ!?
これも相続されてしまう恐れがあります 遺された人に迷惑をかけないためにもスマホ・PCのパスワード サブスクのリスト、証券口座等は、しっかり残しておきましょう

終活支援データサービス　まもーれe：https://www.mamowle.com

本当ですよね～死ぬってわかったら、サブスクやSNS解約しておこう…
不要なSNSは消すとして、サブスクって解約のタイミング難しくない？ネトフリは死ぬまで見たいし…
死ぬまでにやる事結構多いんですよね。でもいつ死ぬかわからないから、結局みんな「今」やらないんですよね～
…わかりすぎる…
だからスマホとPCのログインパスワードを残す！これなら簡単だしすぐにできます！
これだけあれば遺された人もなんとかなりますから！
はい！今すぐやります!!

コラム
06

ペット、デジタルの行先を見つけて気がかりなく最期を迎えたい

人生の最期まで共に過ごす「ペット」、最期まで使う「デジタル」について考える事は、終活の総仕上げ。自分の死後、誰にどう引き継ぐか、どう処分してもらうか、終活アドバイザーの山田静江先生と日本デジタル終活協会代表理事の伊勢田篤史先生に、そのコツを聞きました。

ペットの最期についても考えましょう

ペットがいる場合の終活で考えておきたいのが、自分が年をとって面倒を見られなくなったらどうするか、自分の死後はペットを誰に託すのか、という事。施設や高齢者住宅に入居する場合、ペット可のところもありますが、数が少ないのが実情です。

解決方法は主に①「里親」に託す、②「ペット信託」「遺贈」を利用する③「老犬・老猫ホーム」に入れる、といった3つがあります。

①「里親」に託す、について。そもそもペットは終生飼養が原則ですが、どうしても面倒を見られなくなったら、新たな飼い主を探

さなくてはいけません。

親族や友人、知人に引き取ってもらえればベストですが、それが難しければ里親募集のサイトで探してみましょう。やむを得ない場合は、全国の動物愛護相談センターで引き取ってもらえる事もあります。また引き取って介護してくれる動物病院もあります。

親族や友人の場合、相性もあるので、今のうちに旅行中に預けてみるなど、お試ししておくのがおすすめです。

親族や知人など信頼できる人に託す場合であっても、いつ、どこで、どのようにペットを引き渡すか、相談しておきましょう。ペットの飼育には、えさ代や予防接種代、医療費など、さまざまにお金がかかりますから、託す時にきちんとお金を払っておくと、ペットの幸せにつながります。

飼育料に関しては、生前に親族や知人（受託者）に、ペット飼育に必要な財産を託し、将来の飼い主を選任して信託契約を結ぶ②「ペット信託」もあります。つまり、ペットの面倒を見られなくなったり、自分が亡くなったりした後は、受託者が将来の飼い主にペットを引き渡し、飼育費用を支払いながら、ペットを飼育してもらう方法です。

信頼できる親族や知人（受託者）と信託契約を結び、公正証書を作成する。自分の死後、受託者は将来の飼い主にペットを飼育してもらうよう対処する。信託監督人は受託者、将来の飼い主の両者を監督する。

また「遺言」に、その人にペットの世話をお願いする代わりに財産を渡すことを記す「負担付き遺贈」という方法もあります。

自分もペットも年をとり、世話が大変になってきたり、介護が必要になったりした時は、③「老犬・老猫ホーム」に預ける方法もできます。ただし費用は高額なので金銭面でしっかりした準備が必要です。

たとえば東京都大田区の東京ペットホームに中型犬を預けた場合、契約時に入居一時金と飼育費6カ月で105万6000円（税込）、更新ごとに飼育費6カ月分の52万8000円（税込）がかかります。さらに介護が必要になると、介護料金（軽度介護で6カ月9万9000円《税込》）がプラスになります（2024年1月現在）。

その施設でペットが最期まで幸せに暮らせるかどうか、預け先を決める時は、しっかり下見もしておいてください。

重要な情報はエンディングノートに残す

スマートフォン（以下「スマホ」）やパソコンなどデジタル機器に保存された書類や写真のデータ、インターネットサービスのアカウント等のいわゆる「デジタル遺品」をどう処理するかも、考えておきましょう。

デジタル遺品のうち、相続の対象として注意する必要があるのは、ネット銀行やネット証券の口座、また○○ペイなどキャッシュレス決済サービスの残高などです。

特に、ネット証券は、銀行のようなキャッシュカードもなく、万が一の際、どこの証券会社で口座開設をしているかがわかりにくく、問題になりがちです。なお、暗号資産についても同様です。

いずれにせよ、お金のからむもの（財産的な価値を有するもの）については、あらかじめ「サービス名（金融機関名）」だけでも、エンディングノート等にリスト化しておきましょう。もちろん、「内容」、「ログインID」や「パスワード」等も共有しておくことがベストですが、詳細について知られたくなければあえて金融機関名だけをリスト化しておくだけで構いません。

リスト化は面倒だ、という方は、パソコンやスマホのログインパスワードを共有しておき、万が一の際に、調べてもらえるように手配しておきましょう。生前にパスワードを共有したくなければ、エンディングノートに書いておいたり、スペアキーを作っておいたりすることをおすすめします。

スマホの中にあるネット銀行やネット証券等のアプリについては、遺族がわかりやすいようにまとめておくとよいでしょう。

見られたくないものがあるという方については、生前から、「パソコンやスマホの中を見ないでほしい」と、しっかりと意思表示をしておきましょう。

見られたくないデータを消去してくれる終活支援サービスもあります。「まもーれe」は、生前に消したいものをフォルダに入れておき、自分の死後、遺族がパスワードを入力すると、そのフォルダのデータをすべて消してくれるサービス。Lite版であれば、無料で使えます。その他、スマホやパソコンのログインパスワード等を何かあった時に継承できる「Digital Keeper（デジタルキーパー）」、デジタル遺言を作成できる「last message（ラストメッセージ）」など終活に関するネットサービスはいろいろあります。

なお、プライベートだけでなく、個人事業主などビジネスでパソコンやスマホを使っている人も、仕事をそのまま引き継げるように、クラウドや管理ツールのIDやパスワードをリスト化しておくとよいでしょう。

死後、SNSのアカウントはどうなるのか

自分の死後、SNSのアカウントを放置しておくと乗っ取られたり、悪用されたりする恐れがあります。そもそもSNSの利用規約は「本人以外のログインを禁止する」がほとんどです。近親者が自分のアカウントからメッセージを投稿する事も原則としてNGです。

それを踏まえて、死後の扱い方は主にふたつ。ひとつは、近親者等に削除申請の権限を与えておき、自分の死後、アカウントを削除してもらう方法。もうひとつは、近親者等を追悼アカウント管理人として指定し「追悼アカウント」で管理してもらう方法です。

追悼アカウントとは、利用者が亡くなった後に友達や家族が集い、その人の思い出をシェアするための場所です。通常アカウントを追悼アカウントに移行する事で、他のユーザーのログインを防ぐことが可能です。また、例えば管理人が「一周忌になりました」といった投稿をすると、みんなで故人の在りし日を思うといった事ができます。

ただし、投稿する時は公開範囲に注意、と伊勢田さん。「亡くなってすぐ『葬儀は○月○日に○○セレモニーホールで行います』と一般告知すると、その日に親族が留守をする事が丸わかりとなり、空き巣に入られるといったリスクも生まれます。公開は友人限定等、公開範囲に気をつけましょう」

LINEについては、電話番号等に紐づいているため、携帯電話を解約すると、アカウントが消えてしまう恐れがあります。故人のアカウントが消滅しても、メッセージのやりとり自体は残りますが、相手の名前も写真も消えてしまうので、思い出にとっておきたいものは、スクリーンショットを撮るなどして保管しておく事をおすすめします。

あとがき

人は誰でも老いて死ぬ。これは人類みな平等。逃れることはできない、自然の摂理。わかっているけど、やっぱり怖くて、なんだか不安。

若い時分は「老いて死ぬ」なんて、あんまりピンとこなくて、「もしかしたら私だけ特別で、老いて死なないんじゃない？」なんて都合のいいことを考えたりしちゃってました。特に死とか遠すぎて、考えないようにしていたんだと思います。でも50も過ぎてくると、毎日どこかが不具合で、己の老いを突きつけられる日々。しかも身近な人の死なんかもちらほら出てくる。老いと死がすっごく近づいてきてる〜〜！　と実感する毎日。こうなってくるともう逃げてばかりはいられません。ちゃんと向き合って、老いて死ぬことのなにが不安なのかを見つけていかないと。死を意識することで、残りの時間の大切さに、なおさら気がつけた私です。

いままでもそうであったように、老いも死も、そしてその後も、私らしくありたいな〜と思う今日この頃なのです。